公務員のための
情報発信
戦略

樫野孝人
Kashino　Takahito

実例
広島県
福山市

広島県

岡山県

岡山市

倉敷市○

広島市○

福山市

はじめに

　2016年8月、枝広直幹氏が「5つの挑戦」を掲げて広島県福山市長に当選。そこから始まる改革を福山市民により理解してもらい、その魅力を全国に情報発信していくために、翌2017年に情報発信戦略会議が設置されました。

　会議メンバーに選ばれたのは、広島県の県政コミュニケーション・マーケティング総括監の上迫滋さん、株式会社ニューズ・ツー・ユー代表取締役会長の末松美弥子さん、それから元電通で株式会社インター・ロゴス代表の藤江健介さん、そして株式会社オズマピーアール（当時）の野島優美さんの4人でした。

　その会議を通して、福山市の現状分析や、魅力があっても知られていない地域資源の再確認、情報発信の方向性などを1年かけて議論し、以下の大きな3つの方針を取りまとめました。

　1つは重点広報テーマを「鞆の浦を核とした観光振興」「産業・イノベーション（デニム）」「子育てしやすいまちNo.1」の3つに絞ること。

　鞆の浦は、映画「崖の上のポニョ」の舞台と言われており、数々の映画やドラマのロケ地としても有名ですが、その福禅寺に隣接する『対潮楼』は江戸時代に創建された客殿で、国の史跡に指定されており、朝鮮通信使の高官の迎賓館としても利用されていました。その高官が「対馬より東で一番美しい景勝地」＝『日東第一形勝』と絶賛した場所です。その価値は間違いなく凄いのですが、その魅力を語る「言葉」や「伝え方」が昔のままで古びてきており、今の時代では伝わりにくくなっているという課題を抱えていました。

　「デニム」についても国内生産量日本一を誇り、海外の有名デニムブランドが使用するほど世界的な価値を発揮しているのに、お隣の岡山県に「デニム県」のイメージをさらわれていて、福山市＝デニムを

知っている人は皆無に近い状態でした。

「子育て」についても1994年以降20年連続待機児童ゼロを続け、合計特殊出生率も2015年には1.70で中核市全国1位と、子育てしやすい環境であることは間違いありませんが、市内認知度は低かったのです。

まずは、この3つの地域資源を重点的に情報発信し、福山のブランドを確立していこうと決めたのです。

2つめのターゲットについては、情報感度が高く、伝播力が強い首都圏で、特に若い女性に向けた情報発信を強化することを確認しました。

3つめはその具体的なアクションを誰が先導するかです。情報発信戦略会議の議論の結果、「市役所職員だけでは無理なので、民間の専門家に委託するべき」という意見が多く出され、あらためて現場で協業するパートナーとして、私が代表を務める株式会社CAPが選定されました。

本書は、SNS全盛時代における地方自治体の情報発信戦略の手法をまとめるとともに、4年間、福山市役所情報発信課が試行錯誤しながら取り組んできた内容と成果について整理したものです。

地方自治体が戦略的な情報発信を進める上で、何から手を付け、どうアプローチするのか、そのプロセスや考え方について参考にしていただければ幸いです。

また、前著「おしい!広島県の作り方〜広島県庁の戦略的広報とは何か?〜」よりも生々しい現場の事例や、都道府県とは財政規模が違う市町村の広報のあり方などについても、お伝えできればと考えています。

本書が少しでも地方の元気につながるキッカケになることを期待しています。

公務員のための 情報発信戦略 【目次】

はじめに………*2*

第1章　　戦略的広報の基本

1　民間プロフェッショルの使い方 ………*6*
2　伝える広報から伝わる広報へ ………*9*
3　情報発信は誰でも80点は取れる! ………*10*
4　戦略的広報3つのフィールド ………*12*
5　SNS時代のリスク・コミュニケーリョン ………*16*
6　メッセージ伝達の構造 ………*19*
7　なぜ、東京での情報発信が必要なのか? ………*27*
8　「ネットに情報を掲載しました」がダメな理由 ………*28*
9　ニュースが出る構造 ………*29*
10　PR会社との付き合い方 ………*30*
11　プレスリリース配信サイト ………*36*
12　SNSの現状 ………*38*
13　AIDMAからAISAS、そして… ………*43*
14　やっぱりファクトが命 ………*46*

第2章　　広島県福山市の現状分析

1　情報発信の現状分析 ………*48*
2　自社媒体9つの強化 ………*52*
3　福山アンバサダー ………*54*
4　職員のスキルアップ ………*59*
5　福山市情報戦略基本方針の策定 ………*60*
6　クリエイティブはプロに頼る ………*60*

第3章　ファクトを作るマーケィングOJT

1　優先順位を変える英断 ………*64*
2　福山城築城400年プロジェクト ………*66*

CONTENTS

3　福山駅周辺再生プロジェクト ………70

4　世界バラ会議の誘致 ………74

5　福山ブランドを創る ………76

6　鞆の浦の日本遺産登録 ………78

7　福つまみ総選挙 ………79

第4章　具体的な事例

情報発信相談シート ………82

【ケース1】　ローカル線車窓写真コンテスト ………84

【ケース2】　フレイル予防を行い、福山市民の健康寿命を延伸する ……90

【ケース3】　インフルエンザ予防接種の接種率向上 ………93

【ケース4】　福山城築城400年記念事業 ………95

【ケース5】　ネウボラ ………101

【ケース6】　メキシコチーム福山キャンプ ………103

【ケース7】　スマートIC開通記念式典 ………105

【ケース8】　臨時職員（給食士）の募集 ………108

第5章　成果と課題

【成果1】　地方自治体としての取り組み方の変化 ………115

【成果2】　自社媒体の大幅な強化 ………116

【成果3】　福山アンバサダーの成功 ………118

【成果4】　メディアへの営業力アップによる露出増大 ………121

【成果5】　意思決定の転換期 ………122

【成果6】　外部評価その1　「認知度調査」 ………123

【成果7】　外部評価その2　「他機関の評価」 ………124

今後の課題 ………125

おわりに ………128

第1章

戦略的広報の
基本

1 　民間プロフェッショナルの使い方

　私が広島県の広報総括監に就任した2011年以降、各地の地方自治体で「プロの広報監」が設置されるようになりましたが、私自身がその任務をする中で、「地方自治体が専門家個人に仕事を委任する」よりも、「専門企業に業務を委託する」方が、成果が上がり、パフォーマンスのバラツキが少なくなると考えるようになりました。

　なぜかというと、広報の領域は農業から子育て、産業振興など幅広く、また業務も政策立案のサポートもあればチラシやポスターのデザイン業務、ホームページのリニューアルやSNSの運用まで「ごった煮」なので、いくらスーパーマンでも1人で全部手掛けるのは難しいからです。ついつい広報職員に対する「アドバイザー」で終わってしまうと、仕事の仕上がりがイメージ通りにいかなかったり、広報職員のスキルも思うように上がらなかった

りします。

　ですので、企業（プロチーム）に仕事を委託し、政策立案に強いメンバー、デザイナー、首都圏におけるPR業務担当、観光に強いメンバー、子育てに強いメンバーなど、その自治体の課題に応じてメンバーを組成してもらえる形がベストだと思うわけです。

　それなら、「課題ごとに直接その分野のプロに委託すれば良いのでは？」と思う方もいるかもしれません。もちろん、そのやり方もアリですが、難点が2つあります。**1つはスピード感と煩雑さ**です。委託企業を選定するにはプロポーザルで公募をし、審査をし、契約をし、実務に入るまで最低でも3週間から1カ月はかかります。仕様書の作成や質問に対する返答、審査会のセッティングなど、委託企業の数だけ公務員の業務を増やすことになります。

　もう1つの問題は、**変更のしづらさ**です。プロフェッショナルな方と個々に委託契約（担当業務別に任命）すると、「この人、イマイチかも」と感じても途中解約はなかなか大変です。そんなことをすれば議会から「どういう人選の仕方をしているのか？」と突っ込まれるので、ハズレの人に委託してしまった場合でも「成果が出ているように取り繕ってしまう」ことが多いと思います。

　スキルの問題だけでなく、人間ですから相性の問題もあります。ですので、企業（チーム）に仕事を委託することで幅広い業務範囲を扱ってもらい、相性が悪かったり新しい課題が出たりすれば担当メンバーをチェンジしてもらうわけです。

　そうすると広告代理店などに一括委託するのが良いのか？という考えも出てきます。この形もアリですが、次のようなことがで

きる前提です。

オンサイト、つまり県庁や市役所に半ば常駐のような形で机を並べて仕事をしてもらえることが必須です。業務はハンズオン形式で、山本五十六ではないですが、「やってみせ、言って聞かせて、させてみせ、ほめてやらねば、人は動かじ」を毎日のように一緒に実践することで、似たような思考回路、解決策の出し方、動き方がプロから職員に移植できていくのです。

さらに、専門領域についてはプロポーザル（入札案件）の審査員などもお願いすることもありますが、A広告代理店が情報発信課に常駐しているとBやCの広告代理店は「出来レース」と感じて、コンペに参加してくれないでしょう。仮に参加してくれたとしても、自社Aに有利な審査をすれば公平性を疑われますし、他社に落札すれば帰任した際に大目玉を食うのは目に見えています（笑）。大型イベントのプロポーザルなどはA、B、C全ての広告代理店に参加してほしいわけです。そして、出来るだけ小さなコストで大きな成果を上げるように厳しい審査をし、業務発注しないといけないので、広告代理店的には「嬉しくない形」にしかなりません。

PR会社についても同様です。

これまで述べてきたように、**マスコミへのPR営業は全体業務の一部でしかありませんし、PR会社も事業内容によって各社を使い分けたい**のです。それにPR会社も営業数字目標があるので、「なるべく多くの金額を地方自治体から獲得したい」という気持ちが働いてしまいます。情報発信課は逆です。なるべく少ない予算でPRを実現したいわけですから、目指す方向がずれるのです。テレビ局や出版社と話をつけてパブリシティを打つ場合は、マス

コミ側担当者を広報課職員に紹介し、次回からは直接情報が流れ、仕事ができるように引き継いでいくのが重要です。つまり、専門家がいなくなっても業務が続くように「引き渡して」いくのと、PR会社のようにそのルートそのものが生命線で成り立っている会社とでは、スタンスに大きな違いが出てきてしまうのです。PR会社も情報発信課にとってなくてはならないパートナーになりますが、例えば観光PRはA社、農産物のブランディングはB社など、業務ごとにPR会社を選定してお付き合いするのが、私はベターだと思いますし、PR会社にとってもその方が売り上げが大きくなると思います。

　私は、地方自治体の広報コンサルティングに10年以上携わってきましたが、最初の取り組み方を間違えると、成果が上がらないばかりか、職員のスキルアップ、組織のレベルアップが向上しにくくなります。誰と、どのように組むか、この最初の2点がとても重要であり、ボタンのかけ違いが起こらないように気をつけてもらいたいと思っています。

2　伝える広報から伝わる広報へ

　前職で私は映画製作を手掛けていましたが、ハリウッド映画と日本映画の製作工程の大きな違いは「誰が最終編集権を持っているか」だと思います。日本では最終編集権を映画監督が持っていることが多いのに比べ、ハリウッドは最終編集権をプロデューサーが持っています。つまり、制作者サイドの視点より観客サイドの視点でファイナルカットを決めているわけです。

　北川景子・向井理主演の「パラダイス・キス」を制作した時は、ワーナー・ブラザースという外資系配給会社との仕事だったため、

ラストシーンを2パターン撮影・編集し、試写会を実施して観客にAのラストシーンが良いか、Bのラストシーンが良いかのアンケートをとり、ファイナルカットを決定しました。

　当然、2パターン撮影・編集するので製作費も日数も増えるわけですが、徹底的な顧客視点を貫いているのはさすがだと思います。

　だから、ハリウッド映画で時々「ディレクターズ・カット版」という映画が登場します。「上映時間が長すぎる」とか「観客はこちらの編集の方が感動している」などの理由によって、プロデューサー権限で映画監督の編集をバッサリ切ったり、変えたりすることがあります。だから、映画監督が「俺がベストと思う編集にして世に出したい」というのがディレクターズ・カット版として出てくるわけです。

　地方自治体の広報は、「こういう考えや政策を伝えたい」という熱い想いは理解できるのですが、観る側の視点つまり市民視点に欠けることが多いので、難しい言葉が並んでいたり、読み難かったりします。伝える広報から伝わる広報への転換は、「どれだけ市民視点で表現するか」、これに尽きます。この視点の転換をするには研修だけではとても無理。具体的な事業を膝詰めで議論し、OJTによってその感覚を掴んでもらう必要があるのです。この市民視点というDNAを情報発信課に移植できれば、我々外部のプロチームは必要なくなり、めでたく卒業となるのです。

3　情報発信は誰でも80点は取れる！

　広報というと、多くの方から「クリエイティブな仕事」「センスのある人しか出来ない」「私は右脳系の業務は苦手で、左脳系

が得意」などという意見を聞きます。

　私に言わせると逆です。

　情報発信の仕事の大半は論理的思考が重要で、左脳系の業務です。きちんとした手順を踏んで組み立てていけば誰でも80点は取れます。大ハズしはしない点数は取れると思っています。ただし、90点以上取ろうとするとプロの手を借りなければ難しいのも事実です。斬新なデザイン、一目で記憶に残る洗練されたキャッチコピー、その域まで公務員に求めるのはさすがに無理なので、そこはプロにお願いすればいいのです。とはいえ、新商品を売り出すわけではないので広告業界のトッププロに高い費用を支払ってお願いしなくとも大丈夫。80点取れる広報の考え方をマスターすれば、市民の皆さんの理解は格段に進みます。

　情報発信の仕事は、公務員にとって本来「事務系」の仕事ではなく「技術系」の仕事だと私は思います。民間企業でも宣伝部や広報部に配属すると長期間人事異動をさせずにプロを育てる企業が多いように、地方自治体でも広報を専門職と位置付けて出来るだけ人事異動をさせない方がパフォーマンスは上がると思います。最近ではデジタル・トランスフォーメーション（DX）を進めるうえで、デジタル職を専門職として採用する動きがありますが、広報職についても公務員の新しいキャリアパスとして考える時が来ているように思います。

　また、産業振興部や農林水産部や健康福祉部など事業内容が全然違っても、すべての部局で市民への情報発信や市政理解は必要となります。ですから、すべての公務員が広報マインドを持って、どんな事業であれ80点取れるスキルを身につけておき、最後の10点の加点にプロの手を借りる「仕事の型」を作っていくこと

が重要だと思うのです。

4　戦略的広報3つのフィールド

　戦略的広報には、マーケティング・コミュニケーション、リスク・コミュニケーション、コーポレート・コミュニケーションの3つのフィールドがあります。

　マーケティング・コミュニケーションとは、地方自治体の各事業のコストを最小化し、成果を最大化するためのコミュニケーションのことで、市民への啓発活動や行動喚起も含まれます。とても意義のある啓発イベントなのに周知が行き届かず、体裁を整えるために職員を動員するような事が1度や2度はあるのではないでしょうか。そうした事態を防ぎ、最小予算で大きな成果を上げるために、どういう企画をし、どう広報をするか組み立てるものです。

　前著「おしい！広島県の作り方」では、同じ（もしくは少ない）予算で政策効果をどうあげていくかという「マーケティング・コミュニケーション」について、有吉弘行さんを起用した「おしい！広島県キャンペーン」やデーモン閣下による「がん検診啓発キャンペーン」など、県庁レベルの比較的大きな予算を使った仕掛けについて執筆しました。民間の力を借りながら部局横断プロジェクトを推進していくと、地方はもっと元気になるという事例を書かせてもらったのですが、本書では戦略的広報の構造を理解してもらいながら、中核市（＝20万人以上の都市）である広島県福山市の実例をもとに、市役所での戦略的広報への取り組み方を共有していきたいと考えています。

　また、私が執筆・編集に関わった「リクルートOBのすごいま

ちづくり」「リクルートOBのすごいまちづくり2」の計24人の
執筆者は、「1日100枚の名刺をもらうまで帰社しない」「理解し
あえるまで徹底的に夜通しでも話し合う」「考える前にまず動く、
考えながら動き続けるというフットワーク」「とにかく前向き、
ひとなつこい、懐にどんどん入っていくという厚かましさ」など、
リクルートのDNAに染み込んでいる「泥臭さ」で、地方創生に
取り組んだ事例を書いています。人と人が結びつき、化学反応を
起こすことがイノベーションの起点になるのは地方自治体も企業
も同じ。変化、進化をプロデュースするには、人の組み合わせ（人
事異動など）だけではうまくいかず、化学反応を起こす仕組みや
情報などの触媒をどう提供するかが地方自治体にも求められてい
ます。多様性というと耳に優しいですが、異物を受け入れる度量、
違和感を飲み込む風土など組織の懐の深さがより必要な時代が訪
れているのではないでしょうか。

リスク・コミュニケーションは、事件や不祥事が起きた時、思
うように成果が上がらない時にどのように真摯に市民に向き合っ
て説明責任を果たすかというコミュニケーションのことです。

　地方自治体の例では、博多駅前の道路陥没事故が起きた時の高
島宗一郎・福岡市長の記者会見や対応策は素晴らしかったですし、
暴言問題で揺れた泉房穂・明石市長の謝罪会見や辞任タイミング
は事件内容の是非はともかく、「火消し」という点でみると見事
だったと思います。

　特に、SNS時代は今までと違ったコミュニケーションが必要
となってきているので、その要点については後述したいと思いま
す。

3つめの**コーポレート・コミュニケーション**ですが、コーポレートというと企業や会社、団体のことを指すので、地方行政に置き換えるとガバメント・コーポレーションと言ってもよいと思います。

　地方自治体の様々な施策に対して、「私が住んでいる市なら、きっと良い方向に手を打ってくれているはず」とか、「市役所や県庁がやっていることは、まず間違いない」と信頼してもらっている状態を作りだすことです。地方行政の施策は結果が明確でないものも多く、また結果が見えるまで長期に渡るものも少なくありません。そのひとつひとつの政策判断に対して、「また税金の無駄遣いをしているんじゃないか？」「毎年この時期に工事をしているけど、何の意味があるのか理解できない」など、市民が疑心暗鬼になっていては大きな意思決定がしづらくなるばかりか、隣の市町への引越しなど人口流出の火種となっていきます。ひいては、**信用・信頼に裏付けされた郷土愛やシビック・プライドの醸成にも繋がって行くのが、ガバメント・コミュニケーション**なのです。

　それだけに、短期間で拙速にイメージ作りをすれば良いというものではありません。マーケティング・コミュニケーションやリスク・コミュニケーションをしっかり行い、ひとつひとつの実績の積み重ねによって信頼を形成していくのが肝です。特に宣伝・広報という言葉を勘違いして、事実を曲げて伝えるような「お化粧し過ぎ」になると本末転倒です。ネット時代は昔と違って「嘘がバレる時代」です。取り繕って隠したり、実態より上げ底のような情報発信をしたりしていると、逆に信用は地に落ちます。あくまで誠実に、真摯に、市民と向き合ってコミュニケーションす

る姿勢が何より大切なのです。

そして、そうした実績を積み重ねていく際に重要なのが成果広報です。

地方自治体の広報は、実施前は大きくPRするものの、実施後にその成果を市民に報告することが少ないのです。地方自治体の施策を実施して、街がこう変わりました、市民の暮らしが良くなりました、啓発イベントに参加してから地域への関わり方が変化しました、がん検診の受診率が何％アップしました、というような事後の広報をしっかりするのが大切です。映画が公開された後に、「めっちゃ良かったです」「感動しました」「もう一度観に来ます」という来場者の声や表情をそのままCMにしているのを見たことがあると思いますが、あれが大事なのです。地方自治体が手前味噌に「良かった」というより、参加した市民が「良かった」という方がもっと伝わり、周囲への拡がりを生み出します。ところが、成果広報をするための素材が用意できてないことが非常に多いのです。写真素材、映像素材、参加者のコメントなど、参加者数などの数字以外の素材も準備しておかなければ、成果広報はできません。

そして、そうした場で集められる市民の声や要望を次の施策に活かしていくと、「一緒にまちづくりをしている」という一体感が醸成されていくのです。

このように、広報課や情報発信課は３つのコミュニケーションの取りまとめ役、司令塔として、全部局のハブにならなければいけないのです。

5 SNS時代のリスク・コミュニケーリョン

　厳密にいうと、不祥事など突然の危機が訪れた時にどう対応するかという**クライシス・コミュニケーション**と、日常的に危機対応に備えてどういう仕組み・体制・情報提供をしていくかという**リスク・コミュニケーション**に分けられますが、本書では危機対応に関するコミュニケーション分野ということでリスク・コミュニケーションという言葉を使っています。

　民間企業でも不祥事が起きた時のマスコミ対応が悪く、社長が記者会見で逃げるような発言をして火に油を注ぐ結果となったニュースを私たちは日常的に目にします。

　吉本興業の2019年6月に発覚した闇営業に関する不祥事における5時間半に及ぶ社長会見は、誰の目で見てもマイナス効果だったのではないでしょうか。闇営業をし、反社会勢力と関係していた芸人への非難がいつのまにか同情に変わり、擁護する意見が増えていく様を見ると、理屈よりも「社会の空気」や「感情」が社会の評価・評判に大きく影響しているように思えます。これは多分にSNSの影響が大きいでしょう。「モノ言わぬ国民」がSNSという発信・増殖装置を持ったことで、「モノ言う国民」になったのです。

　ネット社会の到来までは、広く情報発信できるのはマスコミだけだったので、マスコミさえ押さえれば不都合な情報を隠すことができました。企業の広報室にもブラックジャーナリズム対策の人材がいたり、週刊誌の記事を金銭でもみ消したりしたこともあったでしょう。しかし、今は国民総事件記者時代。悪事は隠せないと割り切ったほうがいいでしょう。そういう時こそ真摯な態度

で、誠実にコミュニケーションをしていかないと一番大切な信頼を失ってしまいます。逆に心からの謝罪会見と再起のための具体的な施策が、早い信頼回復を呼ぶのです。

　では、SNS時代のリスク・コミュニケーションにおける重要なポイントは何でしょうか？

・公式発表まで間を空けない（なるべく早い記者会見）

　事件から時間が経てば立つほど、憶測を呼び世間の注目が高まります。その空白の時間が感情に火をつけ、ネガティブ情報の連鎖が起こるので、とにかく早い情報開示が重要です。

・真実を明らかにする腹を決める

　わからないことは「わからない」と真摯に応えれば良いのですが、認識している事実を隠してもユーザーはその表情や言い方、仕草で何かを感じます。つまり嘘はバレますし、再炎上の火種になります。内部リーク者も次々に現れます。1つの嘘をつき通そうとすると、さらに30の嘘を重ねないとその嘘をつき通せません。真実を明らかにする腹を決めるのが一番です。

・ユーザーの「ツッコミどころ」がどこにあるかを把握する

　ユーザーが知りたい情報、胡散臭い、悪事の匂いがすると感じている部分について、逃げずに答弁しないといけません。もちろん知っていることと知らないことの区別をします。ユーザーの「ツッコミどころ」がどこにあるかはTwitterなどの投稿の流れを見ていれば、社会の空気が読めて、伝えるべき情報の核心が見えてきます。そうすれば5時間半も押し問答が続くことはありません。

・心から謝罪し、誠意を見せる

　ほとんどの事件で、100対0で一方的にどちらかが悪いということは少ないです。しかし、相手にも非があるような言い訳は最悪です。相手の（ユーザーの）心情に火を付けてしまいます。

　一切言い訳はせず、言葉尻にその匂いも出さず、120%悪いくらいのニュアンスで謝罪するのが適切でしょう。SNSは怖い反面、まっとうな意見による「揺り戻し」も必ず起こります。真摯に正直に対応すれば、貴方の擁護者が現れますし、違う角度の考え方や意見も出てきます。自分で組織を守るのではなく、社会の中からホワイトナイトが出現するのを待つのです。

・グッドニュースを提供する

　事故なら復旧策、組織内不祥事なら刷新人事、商品不具合なら回収、お詫びインセンティブ、新商品発表など、グッドニュースで上書きしていかなければなりません。間違っても人の噂も75日と、解決策を先延ばしして、ユーザーが忘れるのを期待してはいけません。毎日のように新しいニュースが生まれ、どんどん関心事も移り変わるのは事実ですが、関連ニュースが出た時に必ず「一連の事件」として紐付けられて復活露出します。議員の不祥事が起きた際には「号泣県議事件」や「今井絵理子事件」などが今後必ず出てくるでしょう。ピンチをチャンスに変えるグッドニュースを提供し、イメージを良くするところまでやっておくのがとても重要です。

6　メッセージ伝達の構造

　情報発信の構造をシンプルに表すと次ページの図のように4つの要素でできています。

　それぞれについては、あとで詳しく述べますが、外してはいけないポイントは、考える順番。よくあるのはポスターやチラシを作成することが決まっていて、どういうポスターやチラシにすれば良いかという相談です。そもそもの事業目的やメッセージ内容、ターゲットによっては、ポスターやチラシは不適切な場合もかなりあります。

　考えるべき順番は、1番が伝えたいメッセージや実現したい施策、2番がターゲットとインサイト、3番が媒体（メディア）、4番がクリエイティブ。この順番を間違えなければ80点の広報に近づいていきます。特に地方自治体が弱いのは3番の媒体選定と4番のクリエイティブ。ここが弱いので、せっかくの良い事業やメッセージが市民に伝わらなかったり、成果が上がらずに終わってしまったりすることが多いのです。

　事業内容と情報発信は車の両輪と同じ。どちらが欠けても良い結果は得られないのですが、多くの場合広報計画が後回しになっていたり、イベント制作費はふんだんにかけても、広報費が雀の涙ほどしかなかったり、という予算組みになっています。

　おそらく、どれくらい広報費を設定すれば良いのかというフレームがないから、そういうことになっているのだと思います。

① 伝えたいメッセージや実現したい施策

　何を市民に伝えたいのか、どういう施策を実施し、どういう効

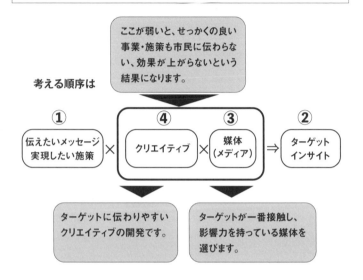

メッセージ伝達の構造

考える順序は

ここが弱いと、せっかくの良い事業・施策も市民に伝わらない、効果が上がらないという結果になります。

① 伝えたいメッセージ 実現したい施策 × ④ クリエイティブ × ③ 媒体（メディア） ⇒ ② ターゲット インサイト

ターゲットに伝わりやすいクリエイティブの開発です。

ターゲットが一番接触し、影響力を持っている媒体を選びます。

果をあげたいのか？　ここが不明確だと、そのあとをいくら頑張って考えても良い広報にはつながりません。地方自治体によくあるのは、あれもこれも言いたい、伝えたいと盛り沢山になり、結局何が言いたいのか分からなくなったり、一番伝えたいことが伝わらなかったりするケース。

　ここで一番大切なのは、伝えたいメッセージを1つに絞ること。それが無理なら百歩譲って最重要メッセージはどれかという優先順位を決めることです。

　事業目的の場合でも、例えば地場産品の売上もあげたいし、ブランド化もしたいと、いきなり二兎を追っても結果はなかなかでません。まずは売上を上げるのを優先するとか、希少価値を作り出しブランド価値を高めるのか、事業目的も絞らないといけない

のです。

② **ターゲットとインサイト**

　メッセージや事業目的を誰に届けたいのかを設定します。事業内容によっては市民全員に伝えるべきですが、**メインターゲットが誰なのかを想定しなければ、伝わる広報にはなりません**。これも男女とか、高齢者とか、ざっくりした分け方ではなく、もう少しきめ細かく設定して計画を立てた方が刺さるメッセージを作りやすいし、そのターゲットがよく接するメディア（媒体）も選定しやすいのです。

　自治体職員と会議する際に、共通言語でイメージを合わせるために、私は、広告業界のF1 〜 F4、M1 〜 M4を使っています。Fは女性、Mは男性、1は20歳から34歳、2は35歳から49歳……と15歳刻みの分け方です。

　さらに、最近ではもう少し詳細なペルソナを設定して広報計画を練る自治体も増えています。これは笑い話ですが、ある地方自治体で「ターゲットはシニアの富裕層」という設定がされたので、「想定しているシニアの富裕層の年収はいくらくらい？」と突っ込んで質問してみると、800万円と答える職員もいるし、2000万円とか、5000万円とかバラバラな答えが返ってきました。

　年収800万円のシニアが購入する商品や交通手段、見ているテレビ番組と、年収5000万円のシニアが購入する商品や交通手段、見ているテレビ番組は大きく違います。情報を届けるには、その方々の暮らしに寄り添った媒体を選定しないといけないので、このターゲット設定が非常に重要なのです。

　そして、もう1つ忘れてはならないのがインサイト。

消費者インサイトとは、消費者の行動の原理や、行動の背景にある意識構造を見通した結果得られる、購買行動の核心やツボのこと。シンプルに言うと、インサイト＝本音、時には本人も意識していない場合も含めた本音のことです。

例えば、20代ビジネスマンが購読する「フィナンシャル・タイムズ」。世界の経済情報を入手し、仕事に役立てるためという表向きの理由とは別に、「フィナンシャル・タイムズ」を持っている自分はグローバルで、デキるビジネスマンぽくてカッコいいんじゃない？というスタイル的な要素があったりします。

こうした本音でどう思っているか、何を理由に行動するかを把握することが情報発信戦略ではとても重要になってくるのです。

③ 媒体（メディア）

3番目はメディア。設定したターゲットが一番接触し、影響を持っている媒体が何かということ。新聞記事に一番影響を受ける人もいれば、乃木坂46の言葉で行動を起こす人もいます。

2020年3月11日に発表された「2019年　日本の広告費」は、拡張する「物販系ECプラットフォーム広告費」を項目改定し、「イベント」を「イベント・展示・映像ほか」に追加推定して、日本の総広告費は6兆9381億円、8年連続のプラス成長となりました。前年比は＋6.2%、2018年には含まれていない新設・改定部分が含まれているため、単純に前年と比較するわけにはいきませんが、前年同様の項目による推定でも、6兆6514億円、前年比＋1.9%となっています。

そして、インターネット広告費が前年に続き、2桁成長でテレビメディア広告費を超え、初めて2兆円超えとなりました。

媒体広告費 (億円)

	2018	2019
総広告費	65,300	69,381
マスコミ 4 媒体広告費	27,026	26,091
新聞	(4,784)	(4,547)
雑誌	(1,841)	(1,675)
ラジオ	(1,278)	(1,260)
テレビ	(19,123)	(18,612)
インターネット広告費	17,589	21,048
新聞デジタル	(132)	(142)
雑誌デジタル	(337)	(405)
ラジオデジタル	(8)	(10)
テレビデジタル	(105)	(154)
マス 4 媒体デジタル計	(582)	(715)
プロモーションメディア広告	20,685	22,239

出所:電通

( )は内数

媒体広告費の推移

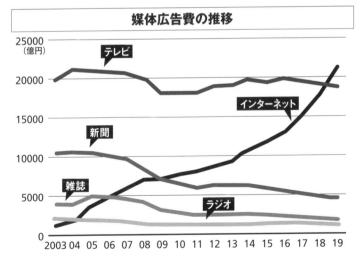

出所:電通

今後ますます1日のうちでインターネットに接触する時間は増えていくのは間違いないので、地方自治体の情報発信戦略においても「紙媒体神話」に執着せずネット媒体に力を入れていく必要があります。「うちの地方はまだお年寄りが多いので、紙媒体は必要だし、ネット利用者は少ない」と言う職員もまだまだいます。もちろん現時点ではそうかもしれませんが、ウィンドウズ95以降に生まれたネット世代ももう20代。年々ネット媒体比率が増え、紙媒体比率が減っていくのは間違いありません。この先困らないためにも今からネット化を進めていくしかないのです。

　さて、私たちを取り巻く情報化社会は1日に届く平均的な広告メッセージは3000件以上と言われています。私たちが日常生活で取得し消費可能な情報量は1日60件程度なので、2940件（全体の約98％）の広告メッセージは見られることもなく捨てられているのです。

　テレビは、ハードディスクレコーダーの普及で「CM飛ばし」が常態化してきているので、CMを打つなら全国規模で1億円以上、都道府県なら（人口規模と視聴エリアにもよるが）500万円以上の大量本数を流さないと「砂漠に水」状態になり、効果が出ません。地方自治体の予算で1事業のCM予算として大きなイベント以外ではなかなか難しい費用だと思います。

　なので、番組の中で取り上げてもらうためのパブリシティ戦略が重要になってきます。これについてはPR会社との付き合い方も含めて後述したいと思います。

　さらに、新聞も購読しない若者が増えています。雑誌は休刊・廃刊が相次ぎ、無料化が進んでいます。ラジオもradikoが頼みの綱でしょう。このように、4マス媒体が失速する中で、ネット

媒体だけが伸びているわけですから、SNS含めて本気で取り組む必要があります。幸い政府方針でDXに拍車がかかりそうですから、デジタル専門人材の採用など一気に進めていくのが良いと思います。

④ クリエイティブ

　自治体職員が最も苦手と思われるクリエイティブ。媒体ごとに適したものにしないといけないので、この分野だけはプロの手を借りる必要があります。そうしないと、広報効果として80点以上の得点を獲るのが難しくなります。

　例えば、テレビCMなら15秒で、ポスターなら30m離れた場所から認識され情報がインプットされるビジュアル、ネット媒体は0.3秒で気づいて興味を持ってもらうクリエイティブでないと効果が期待できません。

　プレスリリースの場合だと、忙しいメディア担当者が1分以内で理解できるリリースになっているだろうか？見出しは興味をそそるキーワードで書かれているか？一瞬で提供サービスのメリット、インセンティブや特徴が理解できるようになっているか、などが求められるのです。

　実施事業のタイトルも7つ以上の漢字が並んでいたりすると、もう読む気がしません。「イクメン知事」が、「育児休暇取得促進知事」では、ここまで認知が広がらなかったでしょう。人のクチコミが拡がるためには、一度聞いて覚えられる言葉、音や語感が良い言葉がとても重要なのです。

　ただ、いくら苦手だからと言ってプロに丸投げではダメ。「こういう成果をあげたいから、あのトーン、あれに近い、こういう

のはNGなど、クリエイティブの方向性をプロに伝えるのは職員の仕事です。このクリエイティブに対するディレクション力=「伝える力」は職員も磨いていく必要があります。

練習問題①
100万本のばらのまち福山応援大使は「百万本のバラ」を歌っていた歌手・加藤登紀子さんでしたが、このキャスティングは、どのターゲットを意識したものだと思いますか？
F1～F4、M1～M4でお答えください。

練習問題②
福山応援大使が任期満了のため新しい方に大使をお願いしなければなりません。今度のターゲットをM2（男性35歳から49歳）に設定した場合、あなたは誰をキャスティングしますか？

答えは47ページ

7　なぜ、東京での情報発信が必要なのか？

　東京での情報発信を強化しようとすると、地方自治体の職員から「東京の人に知ってもらうよりも、もっと地元への情報発信に力を入れてほしい」と言われることがあります。

　ここに大きな勘違いがあります。「東京での情報発信を強化する」という意味は、「東京在住の人に情報を伝える」という意味ではなく、「東京のメディアに情報を載せる」という意味なのです。

　日本のマスメディアは東京中心に回っています。私たちが日頃目にしている主要なテレビ番組や雑誌はその9割くらいが東京で作られています。つまり、東京で作られた番組や記事を地方の私たちは見ているのです。ですから、番組や雑誌に取り上げてもらうには東京のテレビ局や番組制作会社、出版社、編集プロダクションに情報提供しなければいけないわけです。「めざましテレビ」も「ZIP！」も「秘密のケンミンSHOW極」も「世界の果てまでイッテQ！」も東京で制作されているのです。

　新聞の場合も、朝日、毎日、読売などの紙面のほとんどは東京で作られ、地元情報は見開き2ページではないでしょうか。もちろん地域には地元紙があり、もっと地元情報に紙面を割いているケースもありますが、地元紙の世帯カバー率は私の住んでいる神戸市でも5割もありません。読売、朝日、毎日、日経などが強い地域もあり、3割いけば良い方じゃないでしょうか。しかも新聞購読をしない人が増えているわけです。なので、地元新聞への情報発信だけでは足りないのです。

　ラジオも然り、神戸にはKISS FMというラジオ局がありますが、その番組の9割近くは東京FMの番組が流れています。山下

達郎の「サンデーソング・ブック」も福山雅治の「福のラジオ」も東京で収録されているのです。

　ネット社会は情報が多過ぎるので、中途半端な量のCMを打っても気づいてもらうことはできません。そんな中で番組内のコーナーや記事として取り上げてもらうには、その制作をしている会社にアプローチしないと成果は上がらないので、東京での情報発信に力を入れる必要があるわけです。

　そしてその構図が変わろうとしています。それがインターネットによる地方から直接世界への情報発信なのです。

8　「ネットに情報を掲載しました」がダメな理由

　このようにこれからの情報発信においてネットの活用は不可欠ですが、ネットに情報をおいただけで満足してはいけません。議会答弁でも「ホームページに情報を掲載し、周知を徹底して参ります」なんて言葉をよく聞きますが、そのホームページのアクセス件数は何件でしょうか？　SNSにも情報を載せて……と言いますが、そのSNSのフォロワーや友達は何人いるのでしょうか？「いいね」は何人が押してくれたのでしょうか？

　ホームページに情報を載せるというのは、図書館に本が置かれているのと同じです。膨大な量を置いているだけでは役に立ちません。手に取って読んでもらって価値が出るのと同じで、**ホームページにアクセスしてもらって、そのページに滞在して読んでもらって初めて情報提供したことになるわけです。**

　そのために、検索エンジン対策のSEOやSEMは重要です。SNSでも対象ユーザーに見てもらうための広告は必須になってくるでしょう。こうしたネットに情報をアップした後のネット広

告費をしっかり組み込んで予算策定しているかどうかをもう一度チェックしてみてください。

9　ニュースが出る構造

　ネットメディアの影響力が急上昇と言っても、まだメディアの王様がテレビであるのは間違いありません。まして、地方に行けば行くほど、年齢が上がれば上がるほど、テレビの影響力は格段に強いです。

　前述したように「うちの地域は、まだネットを利用している層が少ないからネット施策に力を入れなくて良い」という職員も多いですが、そこは少し考え直すべきでしょう。

　というのも、マスメディアでニュースになるメカニズムが昔と変わってきているからです。かつてはテレビ局や新聞社の記者が足を使って情報を入手していたのがほとんどでしたが、今は違います。テレビも雑誌もラジオも、新聞記者でさえ一次情報をネットから獲得することが増えています。ネットには有象無象の不確かな情報も乱立していますが、とにかく情報が早い。そして多い。さらに、どの情報が市民に受けているのかニュースランキングやTwitterのトレンドで即座にわかります。昨今のマスコミは、こうしたネットの一次情報から確かな情報を選別し、追加取材し、独自の視点を盛り込んで報道するわけです。

　つまり、マスコミのニュースソースがネット情報になってきている今、ネット上にニュースをアップしておかなければ、そしてそのニュースが話題になっていなければテレビや新聞で取り上げられる確率が減るということを理解しておく必要があります。

　最近では、Twitterトレンドランキングを発表しながら社会の

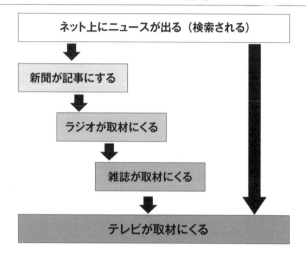

ニュースが出る構造

ネット上にニュースが出る（検索される）

新聞が記事にする

ラジオが取材にくる

雑誌が取材にくる

テレビが取材にくる

キーワードを解説したり、SNSの投稿を導入映像に使用したり、YouTubeにアップされた衝撃映像を詳しく報道したりと、利用頻度は高まる一方です。

　こうしたニュースが出る構造を理解していれば、「テレビに露出するためにネットに情報を出しておく」のが必須であることは理解してもらえると思います。

　だから、こまめにニュースリリースをネット上に出して、情報ソースを拡散しておき、あわよくばネット上での話題を作り、Yahoo!ニュースなどに取り上げてもらえば、そのうちテレビの取材申し込みがくる可能性が出てくる、というわけです。

10　PR会社との付き合い方

　さて、テレビを中心としたマスコミで情報を効果的に露出する

パートナーになるのがPR会社です。広告代理店は、「広告出稿」を主として代行し、テレビCMや雑誌広告など有料枠を利用し、イベントや販売促進まで含めた総合的なプロモーションを行いますが、PR会社は番組内での情報や雑誌の記事として無料のプロモーションを行うのが主であることが大きな違いと言えます。それなら無料の方が絶対良いじゃないか、と考える人も多いと思いますが、有料広告は出稿する内容や量、時期を発注主が指示できますが、無料記事はあくまで「記事」なので、発注主の思惑通りに情報が出ないことがあります。なので、どちらが単純に良いという話ではなく、うまく両方を組み合わせながらプロモーションを考えていくのべきなのです。ただ、ご存知のように有料広告枠が「読み飛ばし」「CM飛ばし」など効果が下がってきています。一方で、「秘密のケンミンSHOW極」や「世界の果てまでイッテQ！」などの人気番組でロケ地になったり、料理が取り上げられたりした地域やその産品の人気が急上昇するのを見ると、番組内情報として露出するメリット・効果の大きさがわかるのではないでしょうか。

　ということで、私が地方自治体の情報発信のお仕事を受ける場合、ほとんどPR会社と協業しています。広島県の広報総括監をしていた時は、マスコミネットワークを県庁の財産にしようと東京事務所の職員の業務ミッションに加えてもらったこともありましたが、事務系公務員は定期異動が頻繁にあるのでせっかく構築した人脈が維持できないのです。そんなのきちんと業務引き継ぎすればできるはず、という意見もあるかもしれませんが、人脈は人に付くものです。人には相性があり、付き合いの歴史もあります。飲んだり食ったり、一緒に遊んだりといった人間関係が3年

で人事異動していく担当者とは構築しづらいのです。またマスコミで働く人々は転職してもマスコミにいることが多いので、ある雑誌の編集者が別の出版社で編集長になったとか、経済系の番組プロデューサーが今度は情報バラエティのプロデューサーになったなんてこともあるので、その人脈は一生ものの財産になるわけです。

そういう意味では、PR会社が常日頃から日参してマスコミに顔を出し、その関係値を作ってくれているのはとても価値があると思います。「次はこんなネタを探しているみたいです」とか「あの局はこういう特集を組む予定です」という先々の情報を提供してくれるのも、我々が広報戦略を立案する上でも重要な与件として使えるのです。ハードワークゆえ、優秀なPRマンが辞めたり、他社に転職したりすると、そのPR会社との取引を止めたり、転職先のPR会社にスイッチしたりしたことがあるほど、パフォーマンスが個人の力量に左右されるケースがある点は要注意です。

では、広告代理店とPR会社の違いがわかったところで、PR会社の具体的な仕事内容を説明します。

大きく分けると、

①メディアパブリシティ・メディアリレーション

②PRイベント・記者会見

③プレスリリース

この3つが中心で、最近ではタレント・インフルエンサーのキャスティングやSNS運用なども手がけている企業が増えています。

① メディアパブリシティ・メディアリレーション

　企業の場合は、商品やサービスを消費者をはじめとしたステークホルダーに伝えるために、メディア（媒体）やメディア関係者との関係を構築していく活動です。地方自治体ならば行政サービスを市民に伝えるためのメディアとの折衝、編集企画へのコンテンツ提供、ロケなど現場取材の調整作業などがこれに当たります。PR会社は日々、テレビや雑誌のプロデューサーやディレクターと情報交換をしながら地方自治体の情報を届けてくれる役割を担います。

②PRイベント・記者会見

　多くのメディアに掲載されるためには、話題の人物をキャスティングしたり、華やかな演出のイベントを行ったりすることも大事です。囲み取材によりゴシップを取り上げられることもありますが、それも話題の人物をキャスティングしているからこそテレビなどでの露出が見込めるわけです。また、ゴシップネタだけにならないよう、どこまでOKで、どこからNGなどのマスコミの仕切りも行ってくれます。イベント終了後に、掲載してもらえるようメディアに対してのプッシュ活動も行ってくれます。

③ プレスリリース

　プレスリリースを行うとき、単純に発信するだけでなく、最適なタイミングや目に留まるプレスリリースの作成方法、最適なメディアの選定など、適切なメディア露出ができるようなノウハウを教えてくれます。

タレントのキャスティングでは、イベント出演からビジュアル、テレビCM制作まで、広告に起用する演出や芸能事務所との契約から交渉までを行います。最近ではInstagramやYouTubeなどのフォロワーが多いインフルエンサーをキャスティングすることも増えています。この業務についてはPR会社に限らず、広告会社やメディア企業も行いますし、地方自治体が芸能事務所とコネクションがあれば、直接やりとりした方がギャラが安くなるケースが多いかもしれません。

　同様に、SNSの運用もプロモーション活動においては必須となってきていますが、この分野はネット専業のプロ集団がたくさん存在しているので、そちらに任せた方がパフォーマンスは上がると思われます。

　契約の仕方としては、スポット契約と言われる短期的にPRをお願いしたいときに行う契約と、リテナー契約という中〜長期的にPRをお願いしたいときに行う契約があります。

　観光PRのようなシーズンごとにテーマは変われど、年中何かしらのPRネタがある事業については、リテナー契約＝年間契約で仕事を発注するのが適していると思いますし、個別具体のテーマがあればスポット契約にします。

　私が広島県の広報総括監をしていた時に企画した有吉弘行さんを起用した「おしい！広島県」キャンペーンは、PR会社と年間契約を結び、数々の仕掛けを発信していきました。（キャンペーン全体は電通と組み、PR部分が電通パブリックリレーションズ。詳細は前著「おしい！広島県の作り方」に掲載）

　それとは別に、広島レモンのブランド化については観光キャンペーンとは別のPR会社ベクトルにスポット契約で発注し、有名

シェフのキャスティング、レモン鍋の開発、番組取材などを進めました。

　PR会社への発注で気をつけないといけないのは、「どの業種・分野に強いか」と「どの媒体・局に強いか」を把握して仕事を依頼することです。

　そもそもメディアとの関係値で成り立っている業務ですから、PR会社ごとに、もっと言うとPRマンごとに強い業種やメディアは違います。ファッションに強い、スポーツに強い、グルメに強い、歴史遺産に強いなどです。

　メディアでいうと、テレビ朝日に強いとかフジテレビに強いとか、「世界の果てまでイッテQ！」のプロデューサーと仲良しとか、「秘密のケンミンSHOW極」のディレクターと懇意にしているなどです。こうしたPR会社ごとの強みや特性を把握した上で、最適なPR会社を選ぶのがとても重要なポイントとなります。

　ちなみに、国内大手と言われるPR会社の売上高は下記のような状況ですが、規模の大小よりも、どれだけその地域を好きになってくれて、親身に活動してくれるかというマインド部分と、担当PRマンの能力の違いの方がパフォーマンスを左右しますから、プロポーザルの時だけ上司がやってきて、「受注できたらあとは部下にお任せ」のような会社には発注しない方が良いと思います。

株式会社ベクトル	301億円
株式会社サニーサイドアップ	135億円
株式会社電通パブリックリレーションズ	105億円
株式会社プラップジャパン	68億円
共同ピーアール株式会社	43億円

（2020年度）

11　プレスリリース配信サイト

　前項で説明したのは人の力でPR活動を進める方法ですが、マスコミ向けにプレスリリースを配信し、自動的に多くのニュースサイトやポータルサイトにニュースを掲載してくれる便利なネットサービスがあります。

　PR会社が親会社の場合が多いですが、これまで人力でやっていた業務をシステムに置き換えて「見える化」し、分析などを充実させています。今後さらにビッグデータが集まれば、PR会社の社員によって行われてきた仕事もAIなどに置き換わっていくでしょう。

　本章9「ニュースが出る構造」で説明したように様々なメディアのニュースソースとなるネット上にPRしたい記事をアップしておくのは必須事項です。なので、私が地方自治体のPRや戦略的広報のコンサルティングを受ける場合は、必ずと言って良いほど、こうしたプレスリリース配信サイトの使用をお勧めしています。

　ここでは代表的な配信サイトを2つ紹介しておきましょう。

PR TIMESサイト

株式会社ベクトルの子会社で、PR TIMESサイト（prtimes.jp）のページビューは月間5200万PV以上（2020年4月）、日本国内で〝最もよく閲覧されている〟プレスリリースサイトと言われています。
産経ニュース、読売新聞オンライン、朝日新聞デジタル、時事ドットコム、iza、東洋経済ONLINE、オリコンニュース、Googleニュース、毎日新聞、Infoseekなど月間1億PV以上の10サイトにプレスリリースを掲載、月間1千万PV以上のサイトも25サイトあり、圧倒的なPVを誇っ

ています。さらに、全1万2000媒体超の配信ネットワーク&1万9000
名超の個人記者・編集者の会員ネットワークがあり、PR TIMESの
Facebookページは「いいね」の数が12万7300以上、Twitterのフォ
ロワー数が17万4800人以上とシェア拡散するネットワークもかなり
期待できます。

そして、料金プランの通り、年契約84万円で配信し放題は記者会見
の多い地方自治体にとってはお得だと思います。

デジタルPR（PR AUTOMATION）

株式会社プラップジャパンの子会社が運営するPRサイトがデジタル
PR（https://digitalpr.jp/）です。

企画からクリッピングまで、あらゆる広報業務をオンラインで実現する
オールインワンツールで、かんたん便利な使い勝手で業務を大幅に
効率化。加えて、すべてのプロセスをクラウド管理することで、業務と
成果の「見える化」を実現し、シャドーワークになりがちなリスト関連・ク
リッピングの集計作業からも担当者を解放するのが特徴と書かれて
います。転載媒体や料金は下記のようになっており、媒体数、金額的
にはPR TIMESが少しお得。分析、使い勝手の良さをどう判断するか
が選定のポイントになりそうです。

	PR TIMES （月7万円プラン）	PR AUTOMATION （月10万円プラン）	NEWSCAST （月7万円プラン）
平均PV	600PV	600PV	1200~1500PV
メディア選定	○ 30〜40 メディアに転載	◎ 30〜40 メディアに転載	○ 40〜50 メディアに転載
SNS波及力	△	△	◎
分析・解析	△	○	△
アカウント	1	5	2〜5
価格	7万円／月	10万円／月	5万円／月〜 7万円／月

12　SNSの現状

　もう今ではSNSを利用していない地方自治体はほとんどないと思われますが、中にはFacebookをやっているからInstagramはやらないとか、Twitterは炎上が怖いから躊躇しているなんて声もまだまだ聞きます。

　下図は、株式会社ガイアックスによる2020年12月時点のSNSの国内利用者数ですが、Facebookの勢いがなくなってきているのに比べ、LINEが8200万人と成長を続け、頭ひとつ抜けた感があります。利用率95.6%というのも驚異的な数字です。コミュニケーションツールとして国民インフラと言っても良い状態でしょう。

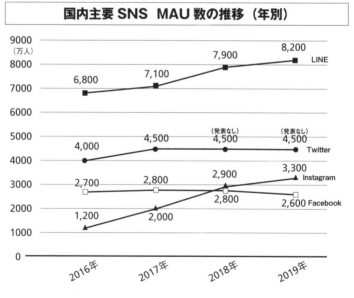

MAU数＝月間アクティブユーザーの数

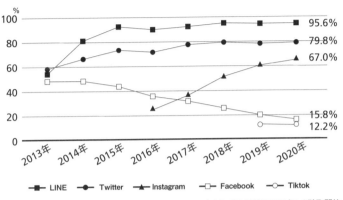

国内主要SNS利用率

ベース:全体(n=500)／複数回答

95.6%
79.8%
67.0%
15.8%
12.2%

■ LINE　● Twitter　▲ Instagram　□ Facebook　○ Tiktok

米Tiktokは2019年から、Instagramは2016年から、それ以外は2013年から聴取開始

　さらに、年代別グラフを見ると、それぞれにユーザー層の山は違いますが、Facebookのコア40代のユーザー数622万人、Twitterのコア20代のユーザー数776万人、Instagramのコア層20代615万人、YouTubeのコア層40代のユーザー数1396万人と比べても、LINEは一番少ない10代ですら464万人。2番目に少ない60代も938万人と、全世帯において高いカバーをしています。

　若年層に強いと言われていたYouTubeは、コロナ自粛の影響もあったと思われますが、全世帯に視聴者をカバーしてきているので、コミュニケーションツールという括りとは少し違いますが、情報発信ツールという観点では今後外すことはできなくなると思います。

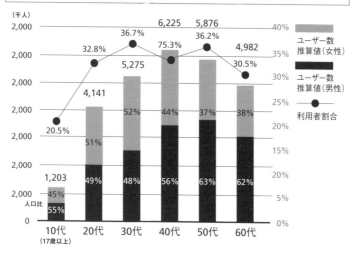

Facebook の年齢別ユーザー数（国内）

（千人）

ユーザー数
推算値（女性）

ユーザー数
推算値（男性）

利用者割合

10代
（17歳以上）　20代　30代　40代　50代　60代

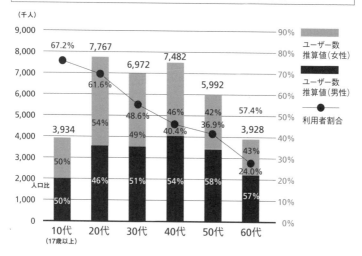

Twitter の年齢別ユーザー数（国内）

（千人）

ユーザー数
推算値（女性）

ユーザー数
推算値（男性）

利用者割合

10代
（17歳以上）　20代　30代　40代　50代　60代

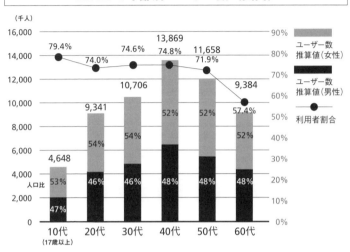

LINE の年齢別ユーザー数（国内）

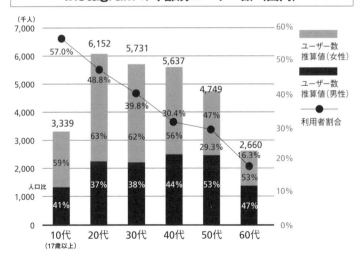

Instagram の年齢別ユーザー数（国内）

YouTube の年齢別ユーザー数（国内）

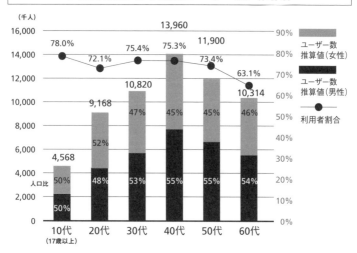

（株式会社ガイアックス　主要SNSユーザー数資料より）

下記データより推算
総務省統計局「人口推計:令和2年1月報」
株式会社ジャストシステム「モバイル&ソーシャルメディア月次定点調査(2019年　総集編)」

　つまり、SNSは「これをやっているから良い」のではなく、LINEもTwitterもFacebookもInstagramも、YouTubeも全部やらないといけないということです。なぜなら、それぞれに強い世代が違い、クリエイティブの最適な表現方法も違うからです。

　ウィズコロナはもちろんのこと、アフターコロナになってもデジタル化の流れは止まりません。いやでもデジタル・トランスフォーメーション（DX）はやってくるので、先延ばしにせずに全部着手する必要があるのです。

　いずれは、全世帯に配布している広報紙がすべてネット媒体に

置き換わり、廃止される時もくるでしょう。その時になってから開始しても遅いので、ネット媒体は早く始めて、早く運用経験値を高めた地方自治体に軍配が上がるのは間違いないです。この時、大切なのは年配の役職上位者が「よくわからない」からと言って止めないこと。「自分はやらなくても逃げ切れる」と逃げないこと。そして若手に丸投げしないこと。思い切って若手に任せ、シニアのサービス享受者として、使い勝手や利便性など市民目線で意見アドバイスをすることが重要です。定年してから何十年も人生は残っており、その時ネットがある程度使えるかどうかでシニアライフのメリットは格段に広がります。このタイミングで触る、学ぶ、試してみることを必ず実践していただきたいと思います。

13　AIDMAからAISAS、そして…

　ユーザーの消費行動を体系立てる際に使用される「AIDMA（アイドマ）」。

　AIDMA（アイドマ）とは、1920年代にアメリカの著作家、サミュエル・ローランド・ホール氏によって提唱された概念で、ユーザーの購買決定プロセスを説明するためのフレームワークの1つです。

AIDMA（アイドマ）モデルとは

認知段階	感情段階			行動
Attention（注意）	Interest（関心）	Desire（欲求）	Memory（記憶）	Action（行動）

AIDMAは、テレビを中心としたマスメディアから一方方向のコミュニケーション時代のモデルでしたが、インターネットによる購買行動の主流化に合わせ、電通が提唱したモデルが「AISAS」です。

AISAS（アイサス）モデルとは

認知段階	感情段階	行動

A　I　S　A　S

　SNSが普及した今、商品を購入したらブログやTwitter、Facebook、Instagramなどに投稿し、友人にシェアするという行動が一般的になっています。モデルなどのインフルエンサーがInstagramなどのSNSで商品を紹介すると爆発的にヒットするという現象も起きています。

　さらに、何かを探す時はGoogleやYahoo!などの検索エンジンではなく、SNSを利用するという人も増えてきました。こういった風潮がある中で、「シェア（共有）」をプロセスの1つとして置いている「AISAS」が、情報発信戦略を考えるうえで重要なフレームワークだと言えるでしょう。

　他にも、AIDCA（アイドカ）というAIDMAと同じくユーザーの購買決定プロセスをフレームワーク化したものもあります。AIDMAの4文字目のMemory（記憶）をConviction（確信）に変えたモデルです。「確信」とはその商材に対して、購買する価値があると考えを固める行動です。

　さらに近年の消費者行動に合わせて電通デジタル・ホールディングスが提唱した消費者行動モデル「DECAX」はコンテンツを発信して、消費者に商品を「発見」してもらうことから始まり、体験した消費者による「共有」が行われている点をポイントとしています。消費者と関係性を気づき、商品理解を深めてもらう「高品質なコンテンツ」が重要になります。

コンテンツ主流の消費者行動モデル〜 DECAX（デキャックス）

Discovery（発見）	ニュースサイトの記事で化粧品を「**発見**」する
Engage（関係）	化粧品やその売り手を調べるなど、買い手と売り手の「**関係**」が深まる
Check（確認）	関係が深まったら、その商品や売り手について詳しく「**確認**」する
Action（購入）	「関係」と「確認」の結果、自分が欲しい商品だったら「**購入**」する
Experience（体験と共有）	レビューへの記入や、SNSへの投稿など、購入体験を「**共有**」する

　どのモデルが優れているか、正しいか、適しているかという議論ではなく、明らかにネット社会になりコミュニケーションの姿が変わってきている現実を直視し、SNSや検索エンジンを意識したコミュニケーション設計と、市民に共感してもらう、シェア拡散してもらえる事業や施策（高品質なコンテンツ）が求められていることを認識してもらえればと思います。

14　やっぱりファクトが命

　このように、ネット社会は「嘘がつけない」「嘘をついてもバレる」「誰かが見ている」「良いことはすぐに広まり、悪いことはもっと早く広がる」「国民全員が発信するメディアを所有する」社会です。

　こういう状況で一番忘れてはならないのは「事実」と「正しさ」「良質」です。良い施策を続けていけば、必ず市民の評価はある時点からうなぎ上りに上がりますし、それが無限にシェアされていきます。そうすると無駄な広報予算は必要なくなります。一方で、付け焼き刃の政策、お化粧した結果、うやむやな効果測定は市民からの信頼を損ねるだけで、一番やってはいけないことです。

　ネット業界は「勝者総取り」とよく言われますが、実は行政においても評価の高い地方自治体はどんどん評価が高まり、ミソをつけた地方自治体は負のスパイラルから抜けるのが難しくなってきます。

　瞬間的には誤解が生じ、炎上することもありますが、真摯な情報発信を続け、ひたすら政策成果を残していけば、いつしか悪い書き込みは消え、正しい評価に置き換わっていくのもネットの特徴です。

　正しい情報発信、そして戦略的広報の最重要ポイントは、宣伝広報費を多く計上し、市民の目をごまかすことではなく、あくまで正しい政策、意味のある政策、横並びや後追いではなく地元市民の本当にニーズに耳を傾けた政策を立案し、それをまっすぐに伝えていくことなのです。

　強い事実（ファクト）に勝る情報発信はないのです。

練習問題①の答え

　加藤登紀子さんの年齢、ヒット曲の年代を考えると、M4（65歳以上の男性）もしくはF4（65歳以上の女性）が中心と考えられます。

練習問題②の答え

　絶対的な正解はありませんが、広島出身でM２から好感度の高い綾瀬はるかさんやPerfumeなど女性が候補に挙げられることが多いです。が、『百万本の赤い薔薇』をシングルリリースしている桑田佳祐さんなども性別問わず知名度・人気・メッセージ性ともに強いのでアリかもしれません。

　但し、広島県出身・福山市出身などご当地と関係が深い場合ほど、オファーを受けてもらえる確率が高くなるのは言うまでもありませんし、郷土愛でギャラも少しは抑えてもらえると思います。

第2章

広島県福山市の現状分析

1　情報発信の現状分析

　情報発信戦略を立てる前に、最初に着手しなければならないのは、現状分析です。楽天インサイトのネット調査で、市民がどういうメディアに接触しているか、どの媒体から福山市役所の市政情報を得ているか、施策それぞれの認知度はどの程度か、同様に首都圏の人々の認知度はどのくらいあるかなどを調査しました。

　この調査データが全てというわけではありませんし、現状値が高いとか低いとかを評価するものではありませんが、定点観測し、今後の市政運営に活かしていく意味で「行政の簡易健康診断」みたいなものだと思っています。費用も約50万円程度なので、今では毎年恒例の定期調査になり、KPIに設定する部局もあります。

　5年ごとに行われる国政調査も良いのですが、日々状況は変化していますし、今年の政策成果を分析し、来年の施策に反映するために、大規模でなくても良いので短期間かつコストが少なく実

施できるネット調査は欠かせないと思います。

　そして、2017年7月のネット調査で浮かび上がってきた事実は次のようなものです。

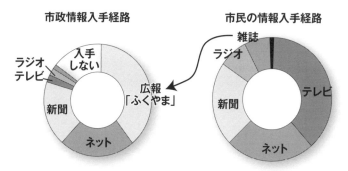

市民アンケート調査の結果分析

市政情報入手経路

入手しない
ラジオ
テレビ
新聞
ネット
広報「ふくやま」

市民の情報入手経路

雑誌
ラジオ
新聞
ネット
テレビ

●情報入手経路として5番目の媒体である雑誌が、
　市政情報の入手経路で1番なのは他媒体があまりにも弱いから。

●男性20代〜30代のネットによる情報入手は、新聞の1.8倍、雑誌の4.6倍。
　女性20代〜30代のネットによる情報入手は、新聞の2.1倍、雑誌の3.2倍。

●男性40代〜50代のネットによる情報入手は、新聞の1.1倍、雑誌の2.8倍。
　女性40代〜50代のネットによる情報入手は、新聞の0.8倍、雑誌の3.7倍

　広報「ふくやま」が一番市民に届いているのは事実なのですが、市民の多くは他メディアからの情報入手が実は多いのに、広報「ふくやま」以外の市政情報の発信が弱いため、相対的に一番になっている状況でした。全国の自治体はどこも広報紙には力を入れており、国の表彰制度などもあり、思い入れが強くなっている職員が多く、他媒体に力を入れるとか、広報紙のページ数を減らすとか、人員をネットにシフトするなどというのは軋轢を生みま

す。しかし、前章で書いた通り、今後ますます紙媒体は減少し、ネット媒体が増加するのは間違いありません。時間をかけて市職員の皆さんとコミュニケーションする中で、紙媒体対ネット媒体の注力比率を変えていくことにしました。

　次に、すべてのメディアのネタ元になるネット上に、どれだけ福山市の情報が掲載されているかを調べてみました。例えば、Google検索で「福山市」と「神戸市」のニュース記事を引っ張ってくると、福山市のニュース記事は4件なのに対して、神戸市のニュース記事は25件と、圧倒的な差がついていました。この改善策として、月額8万円のニュースリリースサイトと年間契約し、プレスリリースを出す数を増やしていくと共に、「効果的なプレスリリースの書き方」研修を実施し、ネット上に福山市の情報を増やしていきました。

　次にSNSの実力診断です。情報発信戦略会議でベンチマークする都市として、人口規模は違うのですが、元気で注目されている印象の福岡市を目標にしようという意見が出ていたので、福山市と福岡市のSNSユーザーを比較しました。

　1000人あたりの比較をしても、SNSのサイト数、ユーザー数とも10倍の差が出ていたのです。

　首都圏の人の認知度調査は、重要施策についての関連する項目では、「あなたは、福山市を訪れたことがありますか？」という質問に対して、「訪問経験あり」は11.8%、訪問経験なしが88.2%。「観光で行ってみたいですか？」という問いには、「観光で行ってみたい」が25.2%、「観光では行きたくない」が11.3%、

SNS のアプローチ人数比較（vs 福岡市）

	福山市		福岡市	
	サイト数	人／人口千人	サイト数	人／人口千人
Facebook	7	36	50	53
Twitter	0	0	15	74.2
Instagram	0	0	3	8
LINE	0	0	5	233
計	7	36	73	369

2017年福山市調査

「わからない」が63.5％という結果でした。

　首都圏の人の福山市への移住意向については、「住みたいと思う」が1.8％、「住みたいと思わない」が50.0％、わからないが48.2％という低い数字となりました。

「福山市に関する事柄で知っているもの」も、最高値が「『崖の上のポニョ』や『流星ワゴン』の舞台となった鞆の浦があるまち」が11.9％、「デニムの生産量日本一」や「100万本のばらのまち」「くわいの国内シェア約５割」「20年以上も待機児童ゼロのまち」など軒並み低い数字でした。

　ところが、こうした福山の特徴を情報として伝えた後に、再度「福山市に観光で行ってみたいと思いますか？」と質問すると、「行ってみたい」と答えた人が37.1％と、情報提示後に意向変更した人が13.6％も増加したのです。

　こうした結果から、福山市の良さをきちんと伝えることができれば興味関心を持ってもらえる確率が高いと確信し、重点テーマを絞って首都圏向けにも広報展開していくことにしました。

2　自社媒体9つの強化

　こうした現状分析をもとに、様々な施策を打っていくのですが、まず初めに着手したのが自社媒体の強化です。いくら良い施策を打ってもターゲット（市民）に届ける手段（メディア）がダメだと、伝わらないからです。特に、この頃の福山市役所はインターネットにつながるパソコンが部署に1台しかなく、ネット施策がかなり遅れていました。そういう状況で現場にはかなり負担をかけましたが、SNSの種類ごとのサイト立上げ数、ユーザー数について目標設定をして、動かしていくことになりました。

　さらに、ホームページの検索エンジン対策やアクセス解析、TwitterやFacebookなどで市民がシェアできるようなボタンの追加、テレビの広報番組の視聴率を上げるための対策、そしてあとで詳しく書きますが、福山市に興味関心を持つ人々による福山アンバサダーの組成など、自社媒体を強化するための9つの対策をまとめて、枝広市長に提言し、情報発信課のメンバーと取り組んでいくことにしました。

自社媒体強化のまとめ	
対策 1	ネット上にニュースを配信するポータルサイトと契約する。 →月額7万円〜10万円
対策 2	FBは「いいね!」倍増、TW、インスタ、LINEは早急に公式サイト立ち上げをし、計400人／人をKPIに。
対策 3	HPにSEO対策する改修を。 重要事業にはSEM（検索広告）を。 アクセス解析ツールの導入。
対策 4	フォローボタン、シェアボタンの設置。
対策 5	早急に番組内容のブラッシュアップ。 来年度は局選定含め、抜本的な改革。

対策6	首都圏・関西圏のテレビ局へのアプローチは、広島県が契約しているPR会社経由で情報提供。情報シートの作成と広島県&PR会社の会議への同席など連携を進める。
対策7	提携企業の広告スペースの獲得。そのデリバリーを情報発信課で一元管理。
対策8	イベント情報を一元化し、部局横断でPRを挟み込む ※例えば、ネウボラ12カ所や100人委員会など。
対策9	福山アンバサダーを立ち上げる。

　そして、この9つの対策の1年後には、職員の必死の頑張りが功を奏し、Facebookの「いいね」の数は8954、Twitterのフォロワー数も4921といずれも急増。アカウント数もFacebook11サイト、Twitter7アカウント、Instagram6アカウントと増やし、人口1000人あたり17人のフォロワーは105人へと改善されたのです。

　テレビの広報番組はコストを下げるため複数年契約だったため、この時点では大きな策は打てなかったのですが、情報発信課メンバーが動き始めた手応えを感じつつありました。

　各施策についても、「ばらのまち福山」の市民認知度は74%と非常に高いものの、首都圏での認知度は3.1%、デニムの生産量が日本一であることも市民認知度26.1%に比べて首都圏認知度は9.1%と低い状態でした。首都圏で一番知られていたのは「鞆の浦が『崖の上のポニョ』の舞台となったといわれているまち」で11.9%。観光で福山に行ってみたいと思う人は25.2%、住みたいと思う人は1.8%という結果でした。こうした現状を起点として、どうしていくかを情報発信課のメンバーと膝を付き合わせて議論していきました。

3　福山アンバサダー

　私が企画に関わった広島県の「おしい！広島県」など、2012年に地方自治体PR動画が一躍注目され、それから全国各地でPR動画が花盛りとなりました。大分県の「シンフロ」や宮崎県小林市の「ンダモシタン小林」のように話題となったものもあれば、制作したものの再生回数が全く伸びず自己満足的な動画で終わったケースも数多くあります。「テレビCMは予算的に無理だけど、ネット動画なら安く作れて、あわよくばPPAPのような大ヒットも夢では…」なんて、甘い考えがあったのではないでしょうか？　動画を制作する場合でも、「作るだけ」ではなく、「市民にどうやって見てもらうか？」まで施策をデザインしておかなければなりません。

　例えば、「おしい！広島県」の場合は有吉弘行さんをキャスティングしましたが、単に毒舌芸人として人気急上昇だったからだけではなく、インターネット普及時代の購買行動モデル「AISAS」を意識した戦略を立てました。当時、有吉弘行さんのTwitterのフォロワーは全国トップクラスの100万人を超える状態。そこにAISASモデルのアテンション（認知・注意）を「おしい！広島県」という自虐的動画で仕掛けた後、SNSで拡散し、楽天トラベルやじゃらんネットで宿泊客を刈り取るという戦略にしたのです。

　ただ、市町村の予算では、有吉弘行さんのような有名タレントと長く契約していくのは難しいので、自前でSNS拡散できる情報発信基盤を整備しようと考えて構築したのが福山アンバサダーなのです。ネスカフェ・アンバサダーはご存知の方も多いと思いますが、「好意を持ってくれている方々による善意の情報循環」

システムと私は考えています。

　福山市では、日本でも馴染みがある「アンバサダー」という名称を使っていますが、本来は「グランズウェル（groundswell）」といい、「大きなうねり、高まり」の意味で、米フォレスター・リサーチ社のアナリストが今のソーシャルテクノロジーの隆盛によるユーザーの変化を分析し、その変化の流れを捉えてグランズウェルと呼んだそうです。このグランズウェルは社会動向であり、人々がソーシャルテクノロジーを使って、自分に必要な情報を、企業からではなく、別の個人から調達することです。

　2021年6月現在、福山市の魅力を積極的に発信してくれるアンバサダーは905名。そのフォロワー数の合計は220万人にも及びます。この福山アンバサダーを運営するに当たっては、以下の5つが重要なポイントになってきます。

登録者全員に贈る「デジタル福山アンバサダー認定証」

(1) デニムライトブルー

(3) ローズピンク

(2) デニムネイビー

(4) 鞆の浦ブルー

①傾聴

グランズウェルの「傾聴戦略」を使い、市民インサイトを観察します。アンバサダーのブログやSNSの書き込みを分析し、社会の空気をモニタリングし、声なき声を感じていきます。

②会話

アンバサダーのSNSやUGC（ユーザー生成コンテンツ）サイトを軸にして生まれる市民との会話によって、生の声を聞いていきます。地方自治体の新しい公聴の形がここから生まれるかもしれません。

③活性化

福山市に愛着を持つアンバサダーは、エンゲージ度も高いです。特にクチコミでの効果は大きいので、レビューや格付けを導入し、熱心なアンバサダーに活躍してもらいます。定期的にアンバサダーミーティング（オフ会）を開催し、「写真の撮り方講座」を

初のオンラインミーティング

市長が参加した表彰式やリアルミーティング

写真の撮り方講座
（デジタルハリウッド大阪校にて）

開催したり、市長からの感謝状などの名誉を付与したりすることで、さらなる情熱を注いでもらうよう工夫しています。

④支援

　従来は、企業が顧客に提供していましたが、グランズウェルではアンバサダー同士が助け合います。同じ目的を持ったアンバサダー同士が意見交換できるサイトを作り、励ましあうプラットフォームを提供することで、先に挙げた他のグランズウェル戦略の実践も容易になります。

1．福山アンバサダーの活動

へぇ！そうなんだ！知らなかった！　それ、福山の風景なの！？なにその美味しそうなグルメ！！
福山アンバサダーが「#福山アンバサダー」を付けて投稿した、福山の魅力をリアルタイムで見てみよう！

ツイッター
・ツイッターでみんなの投稿を見る

Twitter で
みんなの投稿を見る ＞

フェイスブック
・フェイスブックでみんなの投稿を見る

Facebook で
みんなの投稿を見る ＞

インスタグラム
・インスタグラムでみんなの投稿を見る

Instagram で
みんなの投稿を見る ＞

Amebaブログ
・Amebaブログでみんなの投稿を見る

Amebaブログで
みんなの投稿を見る ＞

LINEブログ
・LINEブログでみんなの投稿を見る

LINEブログで
みんなの投稿を見る ＞

広島県営SNS「日刊わしら」
・広島県営SNS「日刊わしら」でみんなの投稿を見る

広島県営SNS「日刊わしら」で
みんなの投稿を見る ＞

⑤統合

　アンバサダーのアイディアを次の展開に取り入れていきます。既に「書き込み・シェアの定例日つくり」や「お互いに

褒め合う慣習」「インスタ映えスキルの共有化」など、オフ会でもらった意見がどんどん現実化しています。

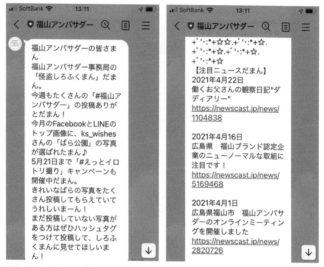

福山アンバサダーへの定期的なLINEメッセージ

このようにグランズウェルのベースには、「人々はもともとつながりたい」という基礎的な欲求があり、その自然な想いを正しく満たすことができれば、強いエンゲージメント（愛着）に導くことができます。成果のところでも後述しますが、順調に成長している「福山アンバサダー」に対して様々な地方自治体から問い合わせをもらい、マニフェスト大賞にもノミネートされるようになりました。

4　職員のスキルアップ

　もう1つこの仕事をお受けする時に意識していたのが「職員の
スキルアップ」です。

　我々のような民間人材がサポートしている時はうまく行って
も、いなくなると元に戻ってしまうのでは意味がありません。し
っかりと知識やノウハウを市職員に移植していくことが重要で
す。良いコンサルタントはクライアントが自らできるようにして
いくはずで、コンサルタントの仕事が減っていくのが正しいと思
っています。病気になっても完治すれば医者に通わなくなるのと
同じです。なので、新しい課題が見つかった場合を除き、手掛け
た仕事を3年くらいで減らしていき、職員自らの力でできるよう
にすることをゴールとして取り組んでいきました。

　方法は2つ。1つは施策ごとのOJT。具体的な施策の広報の
仕方やメディアの選定、予算の配分など、各論で協議を進め、
我々の持っているノウハウを伝授しながら協働していきます。こ
のOJTで一番成長するのは情報発信課のメンバーです。毎回同席
して一緒に話をしていく中で、自然と考え方やアプローチの仕方
が身についてきます。こうなってくれば、情報発信課のメンバー
が適切なアドバイスを担当課にできるようになってくるので、
我々の訪問回数を減らしていくことができるようになります。た
だ現状は、アドバイスを受ける側の現場担当課が「外部のプロの
話は聞いても、同じ職員の話で、しかも年次が下の者の話は聞く
気にならない」といったケースもまだあり、訪問コンサルティン
グ（今はオンラインやメールによるアドバイスも含め）は完全ゼ
ロにできていませんが、順調に減らしているのは事実です。

もう1つは研修です。局長・部長向け研修、課長・次長向け研修、主任向け研修と階層を分けて、広報についての考え方の頭合わせを毎年しています。特に新任課長・次長研修は現場を切り盛りしている責任者がしっかり理解しておいてもらわないと、話が進まないのでグループワークなども入れて「誰でも80点取れる戦略的広報」という研修を実施しています。

主任向けには、「プレスリリースの書き方」や「良いデザインの仕方」「SNSの運用ノウハウ」などより業務に密着した研修を実施してきました。

5 福山市情報発信戦略基本方針の策定

戦略大綱とも言われる「情報発信戦略基本方針」冊子も重要な役割を担っています。

迷った時に立ち返る、ブレそうな時に思い出す、メンバーが入れ替わっても方針がずれないように、基本方針をまとめたものを作成してほしいという依頼のもと、情報発信課のメンバーと一緒に作り上げました。キリスト教における聖書のような役割で、次のような内容からできています。(次ページ参照)

6 クリエイティブはプロに頼る

どれだけコミュニケーションの論理構築をしても、やはり感情を動かさないと広報成果が最大化しません。及第点である80点は取れても90点取るには表現の力・クリエイティブが必要になります。

ただし、この分野を市職員が自ら手がけるのはお勧めできません。神は細部に宿る、それっぽいマネ事はできても仕上がりや完

情報発信戦略基本方針【目次】

【目　次】

はじめに 1

I.　戦略的な情報発信についての基本的な考え方 2

第 1 章 自治体の情報発信を取り巻く環境の変化 2
　1-1　市民とのコミュニケーションの変化 2
　1-2　自治体間競争の高まり 2
　1-3　メディア環境の変化 2

第 2 章 本市の現状と課題 5
　2-1　情報発信に関する職員の意識及びスキル 5
　　　(1) 現状 5
　　　(2) 課題 5
　2-2　情報発信手段 6
　　　(1) 現状 6
　　　(2) 課題 6
　2-3　情報発信の優先順位付け 9
　　　(1) 現状 9
　　　(2) 課題 9

第 3 章 戦略的な情報発信の手順について 10
　3-1　戦略的な情報発信の前提 10
　　　(1) 事業目的の明確化 11
　　　(2) 現状把握 11
　　　(3) 明確な目標設定 12
　3-2　戦略的な情報発信の計画 13
　　　(1) 対象者にとっての魅力的なポイント 13
　　　(2) ターゲット設定 13
　　　(3) 最適な情報発信ツール 14
　　　(4) 魅力的なクリエイティブ 14
　　　(5) 他部局との連携 15
　3-3　戦略的な情報発信の検証など 15
　　　(1) 成果に関する情報発信 15
　　　(2) 情報発信の検証 15
　3-4　戦略的な情報発信のまとめ 16

II.　今後の取組方針 17

第 1 章 人材育成 17

第 2 章 重点広報テーマの戦略的な情報発信 17
　2-1　鞆の浦を核とした観光振興 17
　2-2　産業・イノベーション 18
　2-3　子育てしやすいまち No.1 18

第 3 章 情報発信媒体の継続的な強化 19

第 4 章 更なる連携への発展 19

成度、エッジの利き方が全然違ってしまうのです。行政予算では、印刷費は計上すれどデザイン費を「印刷費のついで」くらいにしか計上していないことが多く、「予算がないから職員がパワポでデザインする」なんてことも頻繁に起こっていました。

　そこで、専属に近い形でデザイナーを当社でアサインし、各種

デザインを年間委託金額の中で実施する契約にし、クリエイティブのレベルアップを図りました。

　文章で説明するより具体的な事例を見てもらった方がわかりやすいと思います。

　1つは、幼児等向けのインフルエンザ予防接種のポスター・チラシです。

　職員のデザイン案は、Aのように必要要素は盛り込まれていますが、何を一番伝えたいのか、どのポイントが市民に一番刺さるのかの強弱がついていません。

　それを担当課と協議し、「今年度は補助額が2倍、対象が中3まで拡充」という一番の売りにメインメッセージを絞り、Bのようにデザインを修正させてもらいました。

A

職員が制作したチラシデザイン

B

当社の契約デザイナーが制作した
チラシデザイン

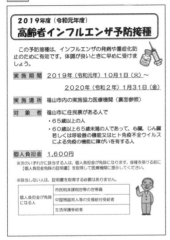

職員が制作したチラシデザイン

当社の契約デザイナーが制作した
チラシデザイン

　次は高齢者向けのインフルエンザ予防接種のポスター・チラシ
です。

　この重点メッセージは、コロナ対応もあり、年末の密を避ける
ために「早めの接種を促す」ことに絞りました。そのために、金
銭的メリットも打ち出し、何とか行動につなげてもらおうという
狙いです。

　書いてある内容はどちらも同じですが、どちらのポスターが目
に飛び込んでくるか、どちらが市民にとってわかりやすく、行動
喚起に繋がるかは一目瞭然です。

　こうしたクリエイティブについては、予算をケチらずにプロの
手を借りる体制を組むべきだと思っています。

第3章

ファクトを作る マーケティング OJT

1 優先順位を変える英断

　情報発信課を中心に自社媒体の整備ができ、マーケティングノウハウの現場への導入が日々進んでいく中、いよいよファクト作りに取り組むことになります。

　情報発信手法がいくら上手になっても、中身が伴わなければ情報は拡散して行きません。ましてや自信のない事業や他都市に見劣りする政策を「PRで良く見せる」のは本末転倒です。やはり一番重要なのは「芯を食った政策・事業」の推進であることは言うまでもありません。

　そこで、重点施策であるデニムについて大きな仕掛けをしようと考えました。福山のデニムは生地の生産量が日本一を誇り、国内はユニクロなどの大手アパレルや海外の有名ブランドも数多く採用しているカイハラデニムなど、染色から織物まで個性的なメーカーが揃っているのです。

福山市のデニムPR
のための雑誌広告

　ところが、いち早く岡山県がデニムのブランディングに着手したため、「デニム＝岡山」という認知が国内では主流でした。

　ファッション誌の編集部などと意見交換しても、「デニムって岡山でしょ？　えっ？福山が一番なのですか？」とまったく意識されていないレベルです。

　そこで、アパレルブランドやファッション誌の編集長などを巻き込んだデニムのイベントを福山市で開催し、まずは業界認知を拡げ、産地を実際に見てもらい、品質を確かめてもらうという基礎固めの企画を立てました。もちろん、そのイベントを業界紙だけでなく、有名ファッション誌でもレポートしてもらい、情報感度の高い人から攻めていこうという狙いです。

　企画はうまく仕上がり、枝広市長へのプレゼンテーションも完璧。あとは予算化に向けて動くだけと思っていた時に、緊急事態

が発生しました。

あの「酷暑」です。

学校現場で多くの生徒が熱中症になり、冷房施設が整っていない教室ではまともな授業が難しいような状態になっていたのです。限られた予算の中で優先すべきは、今起こっている緊急事態への対応でした。この時の枝広市長の判断は早く、デニム産業のブランディングを中止し、学校施設へのエアコン設置を予算化したのです。

この効果は絶大。やはり市民が一番求めていることを実施することが何より市民満足度の向上につながり、そのニュースの広がり方もとても早いものでした。

さらに、市民調査の結果から「子ども医療費」が他都市に比べて支援が見劣りし、市民の不満につながっていることを担当事業部が提案し、「実生活に直結する重要施策」として優先順位を上げ、補助要件を引き上げる決断を枝広市長はされました。

市民の声を聞きながら、時に柔軟に、時に大胆に市政を動かす、そんな現場を垣間見るとともに、「必要とされている政策」が情報発信においても一番有効であることを再認識したのです。

2 福山城築城400年プロジェクト

日本で一番新幹線の駅に近い城、それが福山城です。

その福山城が2022年に築城400年を迎えることになり、この地域資源をどう保存し、後世に残すか、市民と一緒にどう祝うか、福山市外に向けて何を発信するかという大きなプロジェクトが動き出しました。

まず着手したのが、長年の劣化を止め、将来に渡って維持・保

存できる改修工事です。さらに、本来の福山城の唯一無二の特徴であった鉄板張りの復元をすることです。福山城は後背地が迫っているため、背後からの攻撃に備え、黒い鉄板が城に張られているというユニークなものでした。

　1945年8月の空襲で天守は焼失しましたが、当時の市民の寄附で、1966年の市制50周年の記念事業として天守を再建しました。が、鉄板張りは再建されず、当時できなかった天守北側鉄板張りを今、復元しようとしているのです。

福山城イメージ図
右側面の黒い部分が
鉄板張り

　こうした文化遺産の修復・保存という大事業を軸に、様々な施策が付け加えられていくことになります。

　その1つが福山城内の博物館のリニューアルです。改修工事期間中に、耐震工事を施すだけでなく、展示物の見直しや見せ方の工夫、より福山の歴史遺産を強調するための博物館へと生まれ変わらせる事業が動きました。

　まず、初代福山藩主だった水野勝成がキャラクターとして登場するゲーム「信長の野望」とのコラボレーションです。

　福山城をバックにした「信長の野望」の武将たちが勢揃いする

ポスターは、日本だけでなく外国人からもアクセスが殺到するようになりました。また、水野勝成役の声優に福山市出身の福山潤さんに演じていただき、様々なイベントやプロモーションの幅が出てきています。

「信長の野望」とのコラボレーションポスター　©コーエーテクモゲームス

　その上、ふくやま美術館に所蔵されている「太刀　銘筑州住左（号江雪左文字）」という刀剣を筆頭に、刀剣の所蔵が国内有数の価値を持っていました。折しもPCブラウザ＆スマホアプリ「刀剣乱舞-ONLINE-」というゲームが人気を博しており、本ゲームとのコラボレーションが実現することになります。

　さらに、これからの文化遺産の維持管理を考えると、市役所が税金を使ってやり続けるのには限界があります。公の施設を民が運営することで、文化財維持をしていく仕組みを取り入れようと、城周辺の民間委託を検討しています。それがバリューマネジメン

「刀剣乱舞-ONLINE-」とのコラボレーションポスター　©2015 EXNOA LLC ／ Nitroplus

ト社による城泊です。バリューマネジメント社は、愛媛県大洲市
との官民連携事業で、大洲城ならびに城下町に残る町家・古民家
等の歴史的資源を活用した城郭での宿泊体験を「城泊(しろはく)」
としてモデル化に取り組んでいます。『1泊100万円！贅を尽く
した城主体験できる実証実験』のような取り組みを福山城とその
庭にある湯殿や月見櫓といったエリアも含めて企画しているので
す。もともと持っている城の価値を維持・保存するだけでなく、
その運用コストも民間事業者との連携で削減し、さらに福山城博
物館のリニューアル、「信長の野望」や「刀剣乱舞-ONLINE-」
とのコラボレーションによって、これまでの価値をさらに磨き上
げることによって、福山城の発信力を高めていこうと考えていま
す。

3 福山駅周辺再生プロジェクト

　福山駅周辺の再生は、駅前と周辺地域や備後圏域の人や産業が
つながることで経済の好循環を生み出し、市域全体の発展とその
効果を備後圏域及び中国・四国地方へと波及させていくことをめ
ざしたプロジェクトです。

　公共空間等を新たな方法で活用していくことで、コロナ禍にお
ける新たな日常を踏まえ、福山駅周辺を居心地が良く、歩いて楽
しい空間へと転換し、多様な人々の出会い・交流を通じイノベー

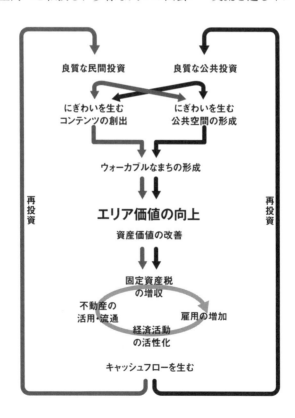

ションの創出や人中心の豊かな生活を実現することを目的としています。

　この計画は10年間を1期として策定し、概ね5年を目途に社会情勢の動向を見極めながら適宜見直しをする考えでしたが、新型コロナウィルスによる社会情勢の劇的な変化に伴い、ライフスタイルの大きな変化が起こりつつあり、よりフレキシブルにプロジェクトを進化させていく必要が出てきました。

4つのエリアビジョン

駅周辺を4つのエリアに分け、それぞれのエリアの特性を生かした魅力と特徴のある将来像（エリアビジョン）を示します。このエリアビジョンに沿った良質な民間投資を呼び込むことで、駅周辺に性格の違うエリアを形成し、人々の価値観や目的に応じた行き先の選択肢を増やします。

ウィズコロナやアフターコロナの「にぎわい」をどう考えるのか、これまでのコンセプトである「にぎわいを生む公共空間の形成などにより、ウォーカブルなまちを形成し、エリア価値を高めていく経済循環を再構築する」をどう実現するかなど、難しい舵取りとなります。

福山駅前の再生に向けたこれまでの取組

2017年	福山駅前再生協議会(計4回)	第1回2017/3/1開催議題:再生ビジョンたたき台(案)について 第2回2017/5/24開催議題:再生に向けた論点,再生のコンセプト(案)について 第3回2017/7/24開催議題:再生のコンセプト,めざすエリア像,再生に向けた課題について 第4回2017/11/28開催議題:(仮称)福山駅前再生ビジョン(素案骨子)について
	OPENSTREETFUKUYAMA2017	
	福山城南側道路歩行者専用化実証実験	2017/10/26〜10/29開催※10/28,29は悪天候のため中止
2018年 2月	第1回リノベーションスクール@福山	2018/2/2〜2/4開催
3月	福山駅前再生ビジョン策定・公表	2018/3/28福山駅前再生フォーラム開催
	国から地方再生のモデル都市として選定	
	広島銀行が福山駅前再生ビジョン提携融資制度「にぎわい」を創設	
4月	福山での家守第1号として「築切家守舎」が設立	
5月	第1回福山駅前デザイン会議	2018/5/21開催議題:福山駅前デザイン会議の趣旨について
6月	OPENSTREETFUKUYAMA2018	
	福山城南側道路歩行者専用化実証実験	2018/6/8〜6/10開催
8月	第2回福山駅前デザイン会議	2018/8/20開催議題:福山駅周辺の公共空間の近未来について〜その課題と活用法〜
	第2回リノベーションスクール@福山	2018/8/24〜8/26開催
10月	OPENSTREETFUKUYAMA2018	2018/10/19〜10/21開催
	福山城南側道路歩行者専用化実証実験	2018/10/29〜11/4,11/12〜11/17開催
11月	伏見町地区公共空間活用実証実験	2018/11/2〜11/4開催
	まちのトレジャーハンティング@福山	2018/11/24〜11/26開催
2019年 1月	第3回福山駅前デザイン会議	2019/1/24開催議題:(仮称)デザイン計画の骨子(案)について
	第3回リノベーションスクール@福山	2019/1/25〜1/27開催

3月	(仮称)デザイン計画中間とりまとめ	
6月	第4回福山駅前デザイン会議	2019/6/10開催議題:エリア価値を高める民間プロジェクトと公民連携プロジェクトについて
7月	第1回福山駅前アクション会議	2019/7/16開催メインテーマ:新しい教育
8月	第2回福山駅前アクション会議	2019/8/21開催メインテーマ:アートのある日常
9月	第5回福山駅前デザイン会議	2019/9/26開催議題:官民連携で福山駅前を歩いて楽しいまちなかに変える
10月	第3回福山駅前アクション会議	2019/10/31開催メインテーマ:産業のリノベーション
	エリアプロデュース&マネジメント講座	2019/10/16,11/開催
12月	第4回福山駅前アクション会議	2019/12/4開催メインテーマ:せとうちツーリズムの拠点
2020年 2月	第6回福山駅前デザイン会議	2020/2/13開催議題:福山駅周辺デザイン計画(案)についてなど
	第4回リノベーションスクール@福山	2020/2/14〜16開催
3月	福山駅周辺デザイン計画策定	
	福山市商業施設(エフピコRiM)再生方針の策定	
	中央公園Park-PFIの事業者決定	
6月	第7回福山駅前デザイン会議	2020/6/1開催議題:福山駅周辺デザイン計画の推進に向けた取組について
7月	エフピコRiMサウンディング調査の事前説明会の開催	2020/7/15
8月	エフピコRiMサウンディング調査の開催	2020/8/5〜8/7
	第8回福山駅前デザイン会議	2020/8/28開催議題:福山における新しいオフィスの可能性についてなど
9月	第1回福山駅前アクション会議2020	2020/9/25開催テーマ:伏見町の道路や駐車場の使い方 三之丸通りや沿線の駐車場、三之丸公園の使い方
10月	第2回福山駅前アクション会議202	2020/10/12開催テーマ:福山城公園から南側へのつなぎ方 中央公園から北側へのつなぎ方
	第3回福山駅前アクション会議2020	2020/10/26開催テーマ:地域資源を生かしたツーリズムの可能性
12月	第4回福山駅前アクション会議2020	2020/12/1開催テーマ:事業のリノベーションと地域の未来
2021年 1月	株式会社築切家守舎が都市再生推進法人に指定	
2月	第9回福山駅前デザイン会議	2021/2/18開催議題:福山駅周辺デザイン計画の更新について ウォーカブルな駅前広場のあり方について
3月	福山駅周辺デザイン計画更新	
5月	中央公園便益施設等供用開始	2021/5/1 ガーデンレストラン「Enlee(エンリー)」がオープン
	第10回福山駅前デザイン会議	2021/5/31開催議題:ウォーカブルな駅前広場の実現に向けて

今後の予定

第11回福山駅前デザイン会議
第12回福山駅前デザイン会議
福山駅前アクション会議(今年度2回開催予定)
エリアプロデュース&マネジメント講座(今年度2回開催予定)
※今後の予定については、変更になる場合があります。

こうした中でも、中央公園のパークPFI事業や大型商業施設の再生など、福山の未来を決める重大な「ファクト」が動き出したので、この「ファクト」に合わせて適切な情報発信をしていこうと計画中です。

4 世界バラ会議の誘致

福山市を象徴する「ばら」の歴史は戦後まで遡ります。

再建復興が進められる中で、御門町南公園（現在のばら公園）付近の住民が、「戦災で荒廃した街に潤いを与え、人々の心に和らぎを取り戻そう」と、1956年から1957年にかけて、その公園にばらの苗木約1000本を植えたことから始まり、「全国美しい町づくり賞最優秀賞」を受賞した1968年に第1回ばら祭が開催されます。

1985年には市の花に「ばら」を制定、2007年度に策定した第四次福山市総合計画において、福山市の将来都市像を「にぎわい　しあわせ　あふれる躍動都市　～ばらのまち福山～」と定め、市民と行政の協働による「100万本のばらのまち福山」をめざして活動してきました。

2015年には、ローズマインドを福山の文化として根付かせ、世界に誇れるばらのまちをめざすために「福山市ばらのまち条例」を制定し、5月21日をばらに込められた思いを伝える日として「ばらの日」と定めています。

そして、2016年市制施行100周年に「100万本のばらのまち福山」が実現したのです。

さらに、「世界バラ会議」を2025年福山市に誘致することが決定しました。

　世界バラ会議は、世界40か国が加盟する「世界バラ会連合」が3年に一度開催する世界最大のばらの国際会議で、ばらの講義や庭園ツアー、優秀庭園賞の決定、栄誉の殿堂入りのばらの審査・決定などを行い、各国からの参加者・ばら愛好会と交流を深めます。

　この大会を契機に、福山のブランド力の向上や「市民が主役のばらのまちづくり」の更なる発展をめざします。

　ロゴも一般公募され、一般投票により、図のように決定しました。

　MICE※への取り組みも積極化する福山市にとってエポックメイキングな国際イベントになるのは間違いありません。

※MICEとは、企業等の会議（Meeting）、企業等の行う報奨・研修旅行：インセンティブ旅行（Incentive Travel）、国際機関・団体、学会等が行う国際会議 （Convention）、展示会・見本市、イベント（Exhibition/Event）の頭文字を使った造語で、これらのビジネスイベントの総称です。

5 福山ブランドを創る

　福山で生み出される、創造性あふれる産品・サービスや素材・技術、取り組み・活動の中から、特に今までにはない発想やそれを実現するために技術と情熱を注ぎ込んでいるもの、伝統や歴史に満足することなく、時代やニーズにマッチするよう進化し続けるもの、育ち、変化していく可能性を秘めたものを「福山ブラン

素材・技術部門

精密金属部品の製造・加工

カイハラデニム

食用ばら

登録活動部門

堂々川ホタルと花と砂留と

鞆の浦しお待ちガイド

産品・サービス部門

入江の甘酒

瀬戸のもち豚せと姫

神勝寺うどん

バラアイス（赤・ピンク）

認定マーク

登録マーク

認定・登録されると

①福山ブランド認定品・登録活動として、協議会から「福山ブランド認定証・登録証」を交付します。
②福山ブランド認定品・登録活動として、認定・登録マークを使用できます。
③協議会が、認定品・登録活動のPR等、各種支援を行います。

FUKUYAMA BRANDサイトのトップページ

ド」として認定・登録し、市がバックアップしていく制度です。

この認定は、産学民と行政の18団体で構成された福山市都市ブランド戦略推進協議会によって行われ、これまでもカイハラデニムや、バラアイス、神勝寺「禅と庭のミュージアム」の「神勝寺うどん」、NPO団体の給食レシピなど、地域が誇るブランドが認定されてきました。この中から「福山といえば○○」が誕生する日も近いと思います。

6 鞆の浦の日本遺産登録

福山市が文化庁に申請していた「瀬戸の夕凪が包む　国内随一の近世港町～セピア色の港町に日常が溶け込む鞆の浦～」のストーリーが、2018年5月24日に「日本遺産」に認定されました。

日本遺産は、地域の歴史的魅力や特色を通じて、わが国の文化・伝統を語る「ストーリー」を文化庁が認定するもので、2015年度（平成27年度）に創設。ストーリーを語る上で欠かせない有形・無形のさまざまな文化財群を、地域が主体となって総合的に整備・活用し、国内外へ発信していくことにより、地域の活性化を図ることを目的としています。

鞆の浦といえば、坂本龍馬の「いろは丸事件」の補償をめぐって談判が行われた場所とも言われ、『崖の上のポニョ』の構想が練られた場所であり、潮待ちの町として風情のある地域として知られていますが、歴史上の事件、映画、ドラマの撮影舞台という単体の出来事だけでなく、いまに残る施設、暮らし、文化のなかにこそむかしから愛されてきた魅力があります。

文化庁への申請では、どの魅力に焦点を当て、それをどう物語るかで認定の可否が大きく変わってきます。いまに現存する江戸

時代の港湾施設を深堀りするのか、歴史文化についてどこまで触れるのがいいのか。議論を重ねれば重ねるほど新たな魅力が出てくるなど、議論のやり直しが幾度となくありましたが、喧々諤々の議論の末、下記のようにまとまり、見事「日本遺産」に認定される運びとなりました。

タイトル
瀬戸の夕凪（ゆうなぎ）が包む　国内随一の近世港町 〜セピア色の港町に日常が溶け込む鞆の浦（とものうら）〜
ストーリー
夕暮れ時になると灯り（あかり）のともる石造りの「常夜燈（じょうやとう）」は、港をめざす船と港の人々を160年間見守ってきた鞆の浦のシンボル。「雁木（がんぎ）」と呼ばれる瀬戸内海の干満に合わせて見え隠れする石段が、常夜燈の袂（たもと）から円形劇場のように港を包み、その先端には大波を阻む石積みの防波堤「波止（はと）」が横たわります。瀬戸内の多島美に囲まれた鞆の浦は、これら江戸期の港湾施設がまとまって現存する国内唯一の港町。潮待ちの港として繁栄を極めた頃の豪商の屋敷や小さな町家がひしめく町並みと人々の暮らしの中に、近世港町の伝統文化が息づいています。

7　福つまみ総選挙

　観光面で欠かせない食コンテンツ。広島県には牡蠣やお好み焼きという全国区の代名詞がありますが、福山市にはそうした有名なグルメがないのが弱みでした。

　諸説ありますが、江戸時代の倹約政治によりぜいたくが禁止さ

れたことから、具をご飯の下に埋（うず）めて食べたことが始まりともいわれる福山の郷土料理「うずみ」。

　この「うずみ」を強力にプロモーションしていたこともありました。が、市内での認知度は高いものの、残念ながら全国では認知が拡がっているとは言えない状態でした。

　なぜなら「うずみ」は、ご飯に具を〝うずめる〟から「うずみ」。豪華な具をメシで隠して目立たなくしている食べ物なので、SNSで情報発信しようにも「映えない」のです。ご飯を掘り進めていくと鯛や海老、松茸や里芋が出現し、お出汁は上品な味つけで、大葉と海苔の香りが鼻をくすぐり、あられのカリカリした食感も絶妙です。しかし、店によってそれぞれのオリジナルレシピがあり、うずみごはんマップによれば、「うずみ」を出す店は福山駅周辺だけで30弱もあるため市外の人に統一したイメージが持たれにくい状態でした。

郷土料理うずみ
一見するとただの白いご飯なので「映えない」

　だからといって、新たな食コンテンツを開発するとそれが必ず美味しいものになると保証できませんし、仮に良いものが出来たとしても提供店の拡大にかなりの労力がかかり、市民に根付くまで時間がかかります。

　さらにコロナ禍で観光誘客に力を入れづらい状況だったので、まずは食グルメの「磨き直し」に注力する方針に変更しました。

　そこで考えたのが、「おつまみ総選挙」。市職員が飲みに行くと

必ず注文するメニューがいくつかあります。食べてみてもかなり美味しいし、どこの居酒屋にもメニューにある確率が高い。おつまみ単品だとグルメコンテンツとしては弱いのですが、AKB48や乃木坂46のようにグループ化すると、違う光を放つのではないかという仮説を立てました。それを福山市が決めるのではなく、市民投票で四天王を決めようという企画に仕上げたのです。これならば、市民が日頃から食べている好きな品であり、提供店も市内に既にたくさんあるので、スタートダッシュが早いわけです。

　また、2025年に世界バラ会議を開催する福山市が、コンベンションで提供する「フィンガーフード」としても活躍しそうです。

　スペインの「惣菜」を意味する「タパス」や、「爪楊枝で刺してあるひと口サイズのおつまみ」ピンチョスのような感覚で、福山のつまみをブランディングしようと考えたのです。

　そして、11月23日（つまみの日）から投票を開始し、1月23日に次の通り四天王が決定しました。

　　第1位　ちいちいいかの天ぷら
　　第2位　ねぶとのから揚げ
　　第3位　くわいの素揚げ
　　第4位　ねぶとの南蛮漬け

　今後は、この福つまみ4品の入れ替え戦をしたり、品数を増やしたり（四天王から神セブンに拡張など）と、PRを展開し、なんとか2025年までに「秘密のケンミンSHOW極」で取り上げてもらえるレベルまで全国認知度を上げていきたいと思っています。

第4章

具体的な
事例

情報発信相談シート

　この章では、実際の現場で職員とどのような協議が行われ、どう改善しているかという事例を紹介したいと思います。

　まず、広報相談にくる部局が事前に相談したい課題を右のシートにまとめてもらいます。それを私たちが少し予習して、相談当日に臨みます。

　相談件数はだいたい1日7件前後。相談に来た部局2～4名と情報発信課のメンバー1名、そして我々の計4～6名で協議をします。情報発信課のメンバーは我々のアドバイスを横で聞きながら、時にはアイディアを出し、また他部局との連携役となったり、市長部局への依頼や現場への落とし込みも行なったりします。

　こうした協議を百本ノックのように繰り返すので、情報発信課メンバーには戦略的広報の考え方や手法がどんどん身についてい

情報発信相談シート

事業名	ローカル線事業	該当するものに○をつけてください	
		重点テーマ・○○づくりビジョン	
課　名	都市交通課	担当者・内線	

区　分	内容
目的	・ローカル線に興味を持ってもらうため ・ローカル線の魅力を引き出し、活性化や利用促進につなげるため
事業概要	・ローカル線の列車の写真や各駅の○○や観光案内を記した 　カードを作成 ・イベントや○○等に活用する
ターゲット	・第一ターゲット：沿線地域住民 ・第二ターゲット：全国の鉄道ファン
課題・目標	・駅カードとして価値のあるものを作成する ・ローカル線に興味を持ってもらう
相談事項	・価値のある駅カードにするためには ・ローカル線の魅力を盛り込むためには

○相談履歴（情報発信アドバイザー：樫野　情報発信担当：川島）

	相談日	アドバイザー助言	To do
1			
2			
3			

○相談対応

アドバイス・指摘の内容（改善事項）に対する所属の対応

○相談結果

ゴール・目標の達成度

くのです。

　2〜3年もすれば我々無しでも充分コンサルティングできるレベルに成長するので、そのノウハウを持って人事異動すると、各部局の広報スキルを持った職員が増えていき、市役所全体のレベルが上がってくると思われます。

　前述しましたが、本来コンサルティングは、我々がいなくてもその組織の人たちで出来るようにしていくのが良いコンサルティングだと私は思っています。ですので、目安としては3年で免許皆伝・契約終了が理想的。ただ、成長した広報職員が我々と同じアドバイスをしても、他部局が耳を貸さないケースも多々あります。民間企業でも部下が良い提案をしても言うことを聞かない社長が、同じ提案を有名な経営コンサルタントが行うと納得することがあり、それと同じようなものです。なので、我々が外部の経営コンサルタントの役割で「アドバイス内容の重石や裏づけ、保証書」となるために、実際には契約継続する場合もあります。

【ケース1】ローカル線車窓写真コンテスト

2017年6月5日

<議事録詳細>　○担当職員　　●アドバイザー（株式会社CAP）

背景色がかかっている箇所は、その意見を取り入れる方向で進める

○利用促進ということでPRをしている。今年度、写真コンテストの提案があった。他にも手ぬぐい作成、レンタサイクル、運賃の補助などもやっている。情報発信の方法に関してアドバイス等いただき

たい。

○全体で43万円の予算、この中で効果的なイベントにしたい。写真コンテストで10万円程度。

○車窓から見える景色を募集してはどうか、と思っている。一般的には外から車体の撮影だが、利用促進ということもあり、電車の中からということで車窓にしてはどうかということ。

●それを見て行きたいと思える人を多く増やす方がいいのでは。

○南線は生活路線、北線は1日6便でディーゼル運行をしており、趣も違う。途中に高校があるので、北線は通学メイン。利用者数は全体的に少ない。

●写真コンテストでも目的によって全然違う。通学の時間帯に写真は撮れない。

○乗って撮るイメージとしては北線のイメージがある。おもしろいかなと思った。

●鉄道好きは来ない、鉄道好きは外から撮りたい。電車代は出すくらいでないと無理かな。沿線の風景、生活、暮らし、人の営みなどをテーマにします、どこどこまできてくれたら補助しますなどとしなければ動機付けにならない。

●乗り放題パス。コンテストにエントリーしてくれたらパスを送る。その代わり写真撮ってくださいであれば、成立する。コンテストをどのように広げていくかということ、写真のクオリティをどこまで求めるか、スマホでいいのか。

○日常的にスマホで撮るくらいでいいと思っている。何かに使うかもしれないが、乗ってもらうことが目的である。金額が少ないのはもともと思っていたことである。

●広島県のブランド推進課が写真を集めており、アーカイブを作ろうとしている。ローカル線コンテストの写真を渡してくれれば、使うこともできる。露出は考えられる。

●どういう人をどういうスパンで集めて、どうやって広めるかを考えておかないといけない。カメラメーカーとタイアップするのが簡単（企画書を書いて出す）。カメラ女子が流行った時、一眼レフ、ミラーレスを売らなければならないとなった時、旅行などを企画してそこに連れて行く。はまれば会員限定で来るのではないか。

●あとは、活動されているカメラマンとコラボする。

●目的を何とするか、電車に乗らせるのが目的であればそれでは足りない。写真を拡散することで乗る人も増えるかもしれない。

●開催規模も情報を届かせる距離も決まってない。予算は10万円しかないので、発信力のあるところと組むほうがいい。例えば、カメラ女子に5万円の活動費でメンバーを集めて、写真をもらう、ということ。カメラ女子は、いいものを撮ってくれる。

●各市町での優劣が気になるのであれば、順番にやるなどはどうか。

○北線側になるので、観光、風景になるとそうなる。

●次はテーマの決め方、線路縛り、駅前、少なくとも車窓から見える風景にするなど。地域の観光写真になると駅から離れてくる。もう少し詳細を教えていただければ良い。

●広報はどこでするのか。ターゲットを考えてないからこうなる。そこが一番大変である。写真雑誌に載せていかないと、アワードとか、どのくらいのレベル感を考えて告知していかないと行けない。

●レベルを高くしないときれいな写真が集まらない。素人よりも少し勉強したことがある人など。目的は沿線の生活、風景の写真を集めることが目的、それらを集めてゆくゆくは使うことを考えればいい。

●写真コンテストをやることがアピールになるのであれば、2本立てでいいと思う、一般公募で集める写真と、特定団体で集める写真。新聞は口だしてあげるよということ。

●家電のカメラ売り場にミニポップを置いてもらうとか、交渉次第で置いてもらえる。全県の規模となるとヤマダ電機のような、店頭に置いてもらえる店を開拓する。写真に興味がある人がくるからである。また、電車では改札のところにポスターみたいなものを置く。

○北線であれば、雪景色もありなのでは。

●応募期間があまりに長いのはよくない。今回は夏、秋、次回は冬など。沿線の高校に写真部があれば、

そこに撮って来て、といえば早い。通学で電車を切り取るのはいい。ただし、参加校が1校だと、それをコンテストと呼ぶかどうかは疑問。

●狙いの話。何だったら他より際立つか、中途半端で人が多いのはPRにならない。

○南線と北線でささやかな幸せをテーマに掲げ、その1枚を撮ってもらう。

●それは「例えば」という例になる。日常で使っている写真と外から入ってきた人の写真は全然違う、両方報われるようにしなければならない。

○審査も専門家に頼むこともないが、素人がしてもいいのか。

●納得性で行けば主催しているカメラマン、多少の謝礼と交通費を準備すればいい。専門家がいっぱいいる必要はない、1人で十分。あとは事務局などの構成員で良い。今の段階ではいろいろできると思う。今は境界線がないので、しっかり絞ったほうがいい。

●データで送るか、印刷でやるかが1つの境界である。少し写真を知っている人は打ち出すまでが作品である。最終的にはデータをもらうことにもなる。写真コンテストであればデータではない。応募する側のプライドが出る。

●全部、決めてしまえばいい。応募数が心配なので必ず集まるとこにお願いする。

○まずは他市町と話をする。

●写真雑誌は無料で乗せてくれるとこもある。引っか
かればラッキー。あとはウインクをどう巻き込んで
いくか、編集長や編集員を巻き込んでアウトプット
をお願いすればバリューが上がる。

○まずは内容・核を決めていく。他市町と話をして、
また相談させていただきたい。

<手ぬぐい>

○手ぬぐい、ローカル線音頭の認知度はない、ローカ
ル線PRを考えている。

●ローカル線PRはわかっているようでわかっていな
いもの。踊りがファンキーであればYouTubeで勝負
できるが。もし機会があれば手ぬぐいも見せてもら
えればと思う。宿題で考えておきます。

<今後のTO　DO>

□ ［内容］写真家と話をしてアドバイス等もらう
　　［担当］都市交通課　　［期日］6月中

□ ［内容］内容・核を決めていく
　　［担当］都市交通課　　［期日］6月中

□ ［内容］アイディアの検討
　　カメラ売り場のポップ／写真雑誌のコンテストの
　　無料掲載／ウインクとの巻き込み
　　電車改札のポスター／乗り放題パス
　　［担当］都市交通課 ［期日］早いうち

□ ［内容］手ぬぐい（ローカル線音頭）の活用
　　［担当］CAP ［期日］次回相談日まで

【ケース2】
フレイル予防を行い、福山市民の健康寿命を延伸する

2020年7月21日

<課題>

○フレイルに関する認知度が低い。

○関係課、関係機関がフレイル予防のための教室等に取り組んでおり、本人がそのメニューを選択して参加しているが、効果（個人・集団）は十分とはいえない。

<目標>

○市民のフレイルに関する認知度を上げる。

○フレイルチェック会に参加し、市民自らが、多面的（運動、栄養（食、口腔）、社会参加）に心身の状態を把握する。

<相談事項>

「フレイル」や「フレイルチェック」について、市民に広く周知ができるようなインパクトのあるリーフレットの作成方法。

<CAPからのアドバイス>

まず、目標が具体的じゃないと対策を立てづらいので、認知度上昇の具体的な指数を確認。現在の認知度7.4%を、2022年度に18.0%にすることが目標。福山市内の65歳以上の方は13万2939人いるので、

その母数に対してのアプローチが必要だが、チラシ
の印刷枚数は1万枚。これでは目標達成する可能性
が低い。

チラシの効果は（欲しい人に直接配布できたら別だ
が）0.3％程度、印刷枚数と設置箇所数で勝負しなく
てはいけない。

チラシの使い方をイメージすることが大切。配布な
ら両面でもいいが、貼るなら片面になる。また、配
るなら枚数が必要、貼るなら対象者がよく使う場
所、滞在する場所に貼る。

チラシを設置するだけではなく、直接届ける方法を
考える。市から市民に送っているものがあるなら、
そこに同封すると、コストパフォーマンスが高く、
信頼性もある。それでも対象者分の枚数は必要。13
万人の対象に3回直接届けるぐらいやらないと認知
度の目標達成は難しい。つまり39万枚のチラシ印刷
に@2円としても78万円＋デザイン費の広報予算は必
要。（他の郵送物に同封する前提なので郵送代は除
く）

現在、職員が作成したチラシ（案）は、内容が盛り
だくさん過ぎという印象。焦点を絞った方が良い。
今後4年間でやるということであれば、1年目は最低
ここまでというようにステップを決めて、毎年内容
を変えて作成してみる。

初年度は、フレイルという言葉の理解を徹底し、危機感を持ってもらう。

表現として、「フレイルとは？」というキャッチコピーではなく、「フレイルとは○○だ」と言い切った方がいい。

フレイルの説明を長い文章で言っているうちは、伝わらないし広がりにくい。

例えば「フレイルとは衰え予備軍のこと」のように単語で言い切る。

その対策も、長い表現はダメ。コロナ対策の「3密」のように、短く3つのポイントにまとめる。アルファベットや、世の中で認識されている言葉と掛詞にしてみると覚えやすい。65歳以上の人に親しみのある言葉にすることを提案。

職員から「シニア」にかけて、

ｼ しっかり噛む　ﾆ にっこり笑う　ｱ 明るく歩く

を推奨することに決定。

ターゲットは65歳以上なので、ネットが不慣れな方も多いので、チラシ送付以外にも福山市民のお年寄りが見ている番組で、5％くらい視聴率を取っている番組にCMを入れるのが実は効率的。一番良いのは番組内で取り上げてもらうこと。内容の説明もあるので、視聴者の理解が伴う。

まずは市の広報番組（RCC）で特集する（12月の

予定）。広報ラジオにも出演して広報する。

過去に、「ひろしま満点ママ」（TSS）で取り上げてもらったのであれば、あとは広テレ、ホームテレビの2社。こちらは情報発信課から売込みをかけるので、記者に説明する際の資料を作成する。

いずれにせよ、事業を周知するための予算がないと、やれることが限られる。来年度は事業の広報も意識して予算を確保してほしい。

【ケース3】 インフルエンザ予防接種の接種率向上

2020年7月21日

<目標>

インフルエンザ予防接種の接種率向上

<対象>

福山市に住民票がある

・65歳以上の者
・60〜64歳で心臓・腎臓・呼吸器の機能に障害を有する者、及びヒト免疫不全ウイルスにより免疫機能に障害を有する者
・1歳以上で中学校3年生までの者

<目標>

接種率60%

＜課題＞

事業実施までにさける時間、労働力が限られている。

＜CAPからのアドバイス＞

高齢者インフルエンザ予防接種

　今回の訴求ポイントは、新型コロナウィルスとの兼ね合いで、医療機関が混み合わない時期に早めに接種をしてもらいたいという点。そこを強調したチラシ・ポスターに変えることにした。

さらに、高齢者インフルエンザの予防接種はフレイルとターゲットが近い。市役所から送るものに同封できないか検討してもらうことにした。

対象者になるべく多く情報を届けるため、チラシは新聞折込とする。

幼児等インフルエンザ予防接種

幼児等向けの訴求ポイントは、中学3年生まで対象が拡がったことと、補助額が倍になったこと。この2点を強調し、市民にお得感を感じてもらい、予防接種を促す。

こちらは、学校を通じて児童・生徒に配布する。

　そして、第2章の5（62、63ページ）のように、ポスター・チラシのデザインを目に止まりやすいように我々チームが制作したのである。

【ケース4】福山城築城400年記念事業

2020年8月12日

<リーフレット>

● 寄附を募集するリーフレットであれば、表紙にそれが分かるように明記。

● 目的が寄附の募集であれば、シンプルにそれが分かった方がいい。

●「令和の大普請にぜひご参加ください」が表紙にあるべき。

●「特典もいっぱい」など、中を開いてもらう文言が必要。中身の文言を吹き出しに入れる。

● 寄附していただいた方へのプレゼント（目玉）があれば更に良い。

●「記念イベント招待」で4000万円出そうとはなかなか思わない。

● 記念章の価値がよく分からない。

●「信長の野望」の中に水野勝成がいない。水野勝成は必要。

● 締め切りを書いておく。ちゃんと西暦年で書く。

●「売上の一部が寄附にあてられます」のところに値段表記が必要。まとめページができるのであれば、URL載せて、「全商品はこちら」で誘導する。

● 城のライトアップ写真は、全景ではなく、それぞれに寄った写真をコラージュする。

＜寄附受領証明書＞

●藩札風になっていない。

●限りなく藩札に近づけるべき。

●「信長の野望」をはめるのはありだが、あとは色合わせ。

●「福山潤×信長の野望」など文字を取って、イラストだけにする。

●昔のもののレプリカのようにする方が価値が増す。

＜藩札＞

●野望の絵部分は文化振興課で判断を。

●城やロゴが必要では？

●市長確認後の修正箇所はまとめて教えてください。

＜V字回復策＞

●コロナの終息はないかもしれないので、海外旅行、県外またぐのは×。「身近なところで楽しみ喜びを見つける観光」→普段見過ごしてきたことの観光資源化。魅力的なものを探す、宝物探しを今しておく。

●観光物産をオンラインで買えるとか、オンラインの環境整備。

●広島県民が福山に来るような観光戦略。県内の人が年間何万人福山に来ているのか、客単価はどれくらいなのかを確認すること。

<実行委員会について>

●出し方は、まとめて一気に出さない方がいい。

●ニュースとしては、小出しの方がいい。

<顔出しパネル>

●福山潤さんの顔部分を抜く。

●横版の下のタイトルを「福山城築城400年（ロゴ）
　×信長の野望」に変更する。

<カウントダウン>

●カウントダウンボードは来年。

<マイバック>

●環境啓発課のマイバック推進相談あり。

●築城400年がマイバックを作成し、全職員が使えば
　いいのではないか。築城で協力してほしい。

●著名なデザイナーとコラボするとか。

<工事期間中の来場者確保策について>

●来場者確保の目標値は？

○博物館の来館者数9~10万人/年

●来場者確保からの方針転換が必要なのではないか。
　お城が閉館している間でも、興味関心を継続しても
　らう、例えばWebセミナーに変えるなどの方針転
　換。

●人を集めない方法を考えるべき。例えば、現場事務

所で見せようとしていたものを、体育館と食と農の
交流館の間の道に2m間隔でお城のパネルを設置す
るなど。

●人が外出を自粛しているときに城を閉館するのは、
不幸中の幸い。それを逆手に取って、家にいながら
城を楽しめる、距離を確保しながら屋外で城を楽し
める、というものにした方が良い。

●時間と空間を分散。

●防音シートを医療従事者へのメッセージにすると
か。みんなで頑張ろうというメッセージの方が好感
度も上がる。

●新幹線の乗客数も減っているので、広告効果は少な
いので、企業から広告料を募るのは難しい。

＜藩札＞
●信長を外して、モノクロのロゴにする。
●表裏の家紋部分を入れ替える。
●裏の下は「福山城築城記念」に変える。
●裏の印鑑を削除。

＜コロナ回復策＞
●星野源の「うちで踊ろう」のような市民企画。ウェ
ブ画面の半分で福山城を映しながら、半分で踊った
り歌ったりして、市民巻き込み型にしてはどうか。
●共通の曲があった方がいい。
●ロータリーの動画を有効活用すべき。

＜応援サポーター＞

●今タイミングを図っても仕方がない。粛々と進めるべき。

●5人がサポーターであることは、市民は認知している？一般市民のサポーターを増やすためにも、著名人サポーターの認知度を上げるべき。駅前とかに5人のパネルをキービジュアルのように置けないか。

●パネルにあるQRコードをスキャンすると、自分もサポーターになれるなどの工夫。

●エコバッグを特典にできないか。

●バラのスタンプを配るとか。

＜エコバッグ＞

○赤1色。片面プリント。カープ球団OK。

○6月下旬に納品。

○1500円で販売。（一部は城へ寄附）

●観光列車「銀河」にあわせて、駅構内に寄附コーナーを作り、寄附してもらった人に藩札を渡してはどうか。

●仮囲いに埋め込むサイネージは、下1/3は文字情報、上2/3部分で動画を流す。

●櫓の活用だが、屋外に足湯を作ってはどうか。城を眺めながら足湯に入る。

●横浜ロイヤルパーク「開光庵」は扉を開けると富士山が見えるような茶室。月見櫓の2階だと、開ける

と城が見えるのでは。

●庭のことは誰かにお願いしているのか？　庭のデザインは大切。空間デザイナー、ランドスケープデザイン。

＜福山城博物館＞

●プロジェクションマッピングとモニターの違いは。

○模型に当てるので、プロジェクションマッピング。

●一番の売りは？

○水野勝成の模型

●リピートしない感じはする。

●今の企画書で、多目的スペースがどう使われるのか、フクヤマシアターはどんな内容がどんな頻度で変わるのか、などが見えてこない。

●運用予算を含めたハードにしないと陳腐化する。

●3面にこだわると運用がきかないので、1面にして色々な映像を見せた方がいい。

●1、2、5階部分に資料を加えると、見え方も変わる。

●展望室で景色を見ながら飲んでいるイラストがあれば印象が違う。

●触れる、作れるという参画感の企画がほしい。

●模型の前に乗れる馬を置いて、水野と一緒に写真が撮れるとか。これも参加感。

●プロジェクションマッピングを屋内で使うのはもったいない。

【ケース5】ネウボラ

2017年5月25日

<議事録詳細>　○担当職員　●アドバイザー（株式会社CAP）

背景色がかかっている箇所は、その意見を取り入れる方向で進める

<事業概要>

ネウボラとは、フィンランド語で「アドバイスの場」を意味する総合的な子育て支援制度のこと。

福山市では、妊娠、出産、子育てに関し、切れ目のない支援を行うために、医療・保健・福祉等の相談体制を再構築し、子育てに関する不安や負担を軽減し、安心して子育てができる環境整備をしている。

現在、専門性を持ったネウボラ相談員による総合相談窓口「あのね」を市内13カ所に開設。

○ネウボラのオープニングセレモニーについて、県知事がくる。もっと来賓を呼んで、イベントを行う方が良いのではとの声があった。

●セレモニーっぽくしないほうがいいと思う。場所のサービス内容を詳しく伝えるほうがいい。県の広報が来るなら、そこに力点を入れたほうがいい。もし、来賓を呼ぶなら、潜在的な利用者になるような団体の長に来てもらうほうがいい。ママ団体のリーダーや園長など。そこで要望も聞けたらいいのでは。スーツ姿のおじさんがたくさん来るのはナンセ

ンス。情報とサービスを届けたい人にたくさん来て
もらうほうがいい。

○式典は、挨拶して、市長と県知事に除幕をしてもら
って、対談しているところを報道にとってもらう想
定だった。

●それでいいと思う。

○記念品も考えてなかった。スーツの人を呼ぶなら用
意して渡す必要があるが。

●違うと思う。使ってもらう人の代表になる人を呼
ぶ。その日からオープンなら、どういうことに期待
するかというコメントはとっておいた方がいい。

●発信力あるママ団体の代表の人に、市長と知事と写
真を撮ってもらって拡散してもらう。その方がいい
広がり方をする。市長と知事がママに囲まれている
絵を作ってください。

○わかりました。

●後パブが大事。オープン1カ月でこれだけ来まし
た！の方がいい。

【ケース6】メキシコチーム福山キャンプ

2018年4月9日

<議事録詳細>　○担当職員　　●アドバイザー（株式会社CAP）

背景色がかかっている箇所は、その意見を取り入れる方向で進める

<事業概要>

福山市が、東京オリンピックのメキシコ選手団（競泳、飛込、トライアスロン、スポーツクライミング、バドミントン、フェンシング、カヌー、ボートの県内最多の8競技）の事前合宿地に決定したことを受け、メキシコ選手団を歓迎し、万全の体制で受け入れる事業。

<議事概要>

○事業としては大きく2つ。①メキシコチームの受け入れ②市民に対する機運醸成。

　①については6月21日から順次選手団が入ってくる。選手団と小中学生との交流や日本文化体験などを予定。

　②については、公民館を活用した講座、料理教室、パネル展。そして飲食店による料理フェアなど。通訳に立候補していただいた方を対象にした事業も検討している。

●県から5月上旬に友好使節団が来るので、RiMでメキシコフェアをやると聞いている。

→要確認

○2017年は準備委員会を設置していたが、今年度からはビバメヒコ委員会を立ち上げる予定。スポーツ関係団体や経済界などが参画。負担金で運営。

○情報発信は3月にFacebookを立ち上げている。庁内放送を活用した機運醸成も検討。

●先が長いので、どんなターム・ボリュームで事業を積み重ねていくかの計画が必要。どこかのタイミングで広報紙の表紙を飾っても良いのでは。「メキシコ選手来ますよ」という広報ではあまり意味がない。「ここに行ったら選手が見れる」といった興味関心を引くような情報を出す必要がある。

　長期的なPRだとラッピングバスが有効。1台じゃなくて8競技8台くらいの勢いで。

　メキシカンローラを使いながら、ラッピングバスの出発セレモニーなど、そういった企画をどれだけ考えられるか。発信するタイミングも大事。そのほか、バス停やJRの時刻表を活用することも有効的。絶えずどこかで出ている感は必要だが、先が長いので息が切れないように。

○2019年夏ごろに聖火ランナーのコースが決定。2020年3月頃に新体育館の完成式。それぞれのポイントをうまく組み合わせたい。

●福山でも8競技のスポーツが盛り上がり、競技人口が増えれば良いのではないか。

○ばら祭でのPRも検討中。

●一番ダメなのがパネル展示。音楽などをうまく活用
　して雰囲気を出す必要がある。市内に演奏できる団
　体があればそことうまく連携すればよい。

○学校の吹奏楽部の活用は検討している。歓迎セレモ
　ニーなどで演奏してもらう。

●広島県との連携も必須になると思うので、定期的に
　情報交換をしましょう。県からPR素材をもらった
　り。ラッピングバスなど、発信するビジュアルや言
　葉の案をもらえれば確認したい。

【ケース7】スマートIC開通記念式典

2017年6月22日

＜議事概要＞

高速道路へのアクセス性向上、交通分散等につなが
ると期待される山陽自動車道 福山サービスエリア
（SA）の「福山SAスマートインターチェンジ
（IC）」の開通に合わせて開催する開通記念式典の
内容について。

＜式典アイディア＞

・1月1日~3日の福山市の「今年の展望」に掲載

・雑誌への掲載（広島県版、岡山県版両方）

・観光課との連携（「るるぶ」2018年版に載せるな
　ど）

・福山SAでの開通キャンペーンの協力
・100万本のばらのまち福山応援大使の手嶌葵さんの
　テープカット参加
・司会をラジオのパーソナリティなどに頼む
・第1号通過者への取材（テレビ）

＜議事概要＞

・情報が広がるのに時間がかかるため、事前周知期間
　は3カ月前であり、3月の開催ならば年明けには情報
　が出始めることが大事。つまり、1月1日～3日の福山
　市の「今年の展望」に掲載したほうがいい。雑誌に
　も載せようとすると入稿の締切日に入れておかない
　といけない、それは10月くらいまでに確約情報を入
　れておかないといけない。利用するのは自動車なの
　で広島県版岡山県版に載せるべきである。「るる
　ぶ」2018年版にも載せると動きがいいのではない
　か。福山の観光情報を入れておくと誘致にも繋がる
　ので観光課と連携したほうがいい。
・民間企業との連携として福山SAで開通キャンペー
　ンをやってもらえるといい。例えば、福山産品の割
　引キャンペーン、物産展など店側でやると告知の広
　がりを見せることが出来る。
・NEXCOがいつから告知をやってくれるか、
　NEXCOの媒体、東西インターの出入り口、SAに年
　明けには告知する、広島市から岡山市の区間には告
　知をしておいたほうがいい。

・子どもたちの吹奏楽部は絵になるので良い。可能か
　どうかは別として100万本のばらのまち福山応援大
　使にお祝いのテープカットに参加してもらうことも
　アイディアの一つ。最悪なのは黒いスーツが並ぶこ
　とである。
・福山市にNEXCOでやってもらうことの一覧をヒア
　リングしてもらいたい、自社媒体、ネット、会社紙
　など。また、SAでポスターサイズ、枚数、電光掲示
　板期間・文字数、それで情報を投げてもらう。
・情報発信については、近県の媒体、情報誌の締め切
　りはいつかとか、広島県の広報番組に事前に交渉、
　当日の取材は1週間前、式典のゲスト、市長会見な
　ど調べておく。
・広島市も3月に開通するスマートICがあるので、調
　べておく。
・司会をラジオのパーソナリティなどに頼むとラジオ
　に出やすい。
・メディア関係と協業することが一番楽。条件、番組
　出して、司会出してなど局と詰めてやればいいので
　はないか。
・利用者は一般の方々なので、使ってもらうための告
　知、ニュース的にいうと、第1号通過者は誰か、通
　過した絵があってSAに止めてコメントをとる絵がい
　い、ラジオと絡めると第1号通過者を応募するなど
　どうか。
・場所を前提に何ができるかという順番ではないか、

来た人に経験してもらうことが大事、スマートICを体験してもらう式典の意味付けだと思う。人数増えて小学校でやると別の意味になる。

<今後のTO　DO>

□ ［内容］NEXCOの情報発信媒体や期間などの確認

　　［担当］幹線道路課

　　［期日］7月20日（次回相談日）

□ ［内容］近県の媒体、情報誌の締切、広島県の情報発信関連の確認、市長会見など確認

　　［担当］情報発信課

　　［期日］7月20日（次回相談日）

□ ［内容］広島市のスマートIC開通日の確認

　　［担当］幹線道路課

　　［期日］7月20日（次回相談日）

【ケース8】臨時職員（給食士）の募集

2017年10月23日

<議事録詳細>　○担当職員　●アドバイザー（株式会社CAP）

背景色がかかっている箇所は、その意見を取り入れる方向で進める

<議事録詳細>

○4月から採用ということで、1月に臨時職員（給食士）の募集をかけたところ40人応募があったが、働

き方の条件もあり不足している。60人くらい応募が
あればと思う。

●何人必要か？

○150人くらい必要、年度で20人くらいの入れ替わり
が発生し、離れた職場で行けない場合もあり、60人
くらいの応募がほしい。

●基本的には民間発刊の認知度の高い求人誌。見てい
る人は潜在ニーズなので直結する。ネットにも出る
ので見てもらいやすい。一般の人は仕事に対しての
スイッチが入っていないので応募に繋がらない。求
人の中で上位にくるにはどうしたらいいか、行政が
やるということで信頼はあり、その他の条件、フル
タイムがダメな人に対してどうするか。1出稿10万
円くらいかかるのでそれをどうするのか。

●市の広報紙の記事の大きさはお知らせ程度か？

○そう、1月号2月号は他の募集もあるので特出しはで
きない。

●媒体のことを無視すると、登録制度もありかな。
4月からの勤務に向けた登録制度はじめますとか。

●福山中から60人集めるのは大変か？

○4、5年前は80人くらい応募があったが、最近は少な
くなった。

●今働いている人の志望動機は何か。

○典型的なのは、小学生の子どもが給食がおいしいか
ら作ってと言うとか、出産育児で食の大切さを知っ
たとか。

●求人募集に書いているか？

○勤務条件だけ。正規職員は先輩職員の声とかある。

●こういうところももっと踏み込むべき、しんどいが知識もつくとか、先輩の人が言っていることは志望動機になる。チラシの表は半分くらいでいい、子どもたちに美味しい給食をつくりませんか、とかの気をひく言葉、要は気付かせるかどうか。

●求人広告を打つときに一言二言が大事になる。

●チラシを作ってどう届けるか。

○給与課に相談したら賞与の額を書いた方がいいとかのアドバイスもある。リアルな金額で年収モデルを示す。

●扶養の範囲は超えるのか。

○フルタイムは超える前提、4時間勤務は超えない。4時間勤務はすぐ応募が埋まる。

●勤続はどのくらいか。

○長い人が10年、3~4年目の人が多い。環境に大きな変化がなければずっと働いてもらえると思う。

●チラシにそれも書く。

●セカンドステージでこの仕事を選ぶことはありだと思う。

●掲載料がいくらかはわからないが、即効性は求人情報誌、行動に一番に結びつきやすい。

●広報番組に取り上げたらいいのでは。取り上げられたら放送データを公開してリンクすればいい。

●条件だけを並べるのではなく、もっといいことを出

すとか。

●ターゲットを考えると、子どもが手を離れたので働いて給料のいいところ、食への関心がある人がどこにいるか。

○どうやってうまく届けるか。

●積極的にやっていないから、そうするとお金がかかる。事前登録という理由付けをして、前の号で特出しするとか。

○勤務が朝早いということはある。子どもが出るのを見届けられないということもある。朝1時間遅くしていいという条件があれば増えるかもしれないが難しい。

●チラシに、相談に応じますと記載してもいい、ブレーキになることをなるべく書かないこと。

●マイカー通勤可はメリットがある。あと、事故とかもあるが、社会保険や雇用保険もある。

●今言ったみたいなことを文言に入れてみる。書きぶりを変える。そうすると手にとった人の印象が変わる。しかし、要は届くまでをどうするかだが、広告である。

●申込方法ではなく、応募。「免許状写」この書き方は持っていない人へのブレーキになる。未経験の人には教えるという書き方、誰でも出来るという書き方はダメ。ちゃんと書こうと思うと、調理に関しての特別な資格は問わない、家で料理をしている人、と記載すると門戸が広がる。

●テレビで掲載無料の求人誌の広告がある。それに掲載してみれば？　ハローワークはこれ以上書けないのでこの程度だと思う。

●積極的にやるのなら、求人の折込チラシ。仕事を探してない時は見ないが、急に気になる。新聞をとっている人には効く。

●チラシの修正が入って心配であればアドバイスする。

○見せ方として、知らせたいことを大きく書いたりするが、そういうテクニックは重要か？

●重要であるが、知らせたいことを大きく書くとあるがそれは間違い。こちらが知らせたいことは相手が知りたくないかもしれない、相手が求めていることを大きく書くことが大事である。料理大好きな人、仕事をやりませんか、とか。

●仕事を選んだきっかけを聞いて、それを書くとそれがフックになるかもしれない。待遇もいいし、自信をもってやった方がいい。

●安定的にくるようになったら、限定60人と書くとか。

●お友達紹介キャンペーンをやるとか。

○市で出来ることは？

●働いている人に紹介してもらう、紹介してもらったら特典があるとか。

＜今後のTO　DO＞

□ ［内容］チラシの修正

　　［担当］教育総務課

□ ［内容］周知の検討（無料転職サイトなど）

　　［担当］教育総務課

□ ［内容］広報番組の確認

　　［担当］情報発信課　→1月の給食週間にあわせて

　収録予定

　こうした協議を積み重ね、進捗状況を確認しながら、時には修正も加え、事業が行われていきます。

　そして、その結果について毎週のように報告をしてもらいながら次の戦略を職員と一緒に考えていくのです。

ここに掲載したケースは、ある特定日の協議録の一部です。

第5章

成果と
課題

　枝広直幹市長が市政運営の基本として掲げる情報発信を強化するため、2017年度に専門家から意見をもらう「福山市情報発信戦略会議」が発足。同会議からの提案により、情報発信を専門とする業者のプロポーザルで株式会社CAPが選ばれてから、1年間意見交換を繰り返し、試行錯誤しながら、市役所職員の手で一から作り上げた情報発信の指針「福山市情報発信戦略基本方針」（61ページ）が策定されたのが2018年2月。いわば「情報発信の手順書」です。こうして4年間、事業効果の最大化を求める戦略的広報を実施してきました。

　手法だけではなく、市役所職員の広報に対する意識改革も行い、2017年度からの4年間で1546件のOJT（各課へのアドバイス業務）を行ってきた結果、着実に成果が上がってきています。

【成果1】地方自治体としての取り組み方の変化

　一番大きく変わったのは、市役所職員の広報に対する意識改革です。チラシや広報紙にただ掲載するだけで満足していた広報から、どう掲載したら行動してもらえるかを考えた広報に変化しました。

　例えば、チラシ。今までのチラシは講演会などの目的や時間、場所、背景、講師紹介、地図など情報が盛りだくさんで、何を目的にしていたか不明瞭なものばかりでした。今では、興味を惹く

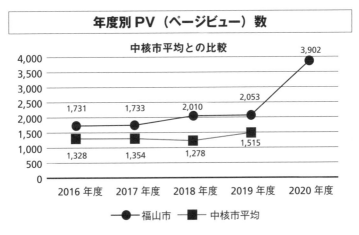

年度別 PV（ページビュー）数

年度	PV（ページビュー）数		備考
	福山市	中核市平均	
2016年度	17,312,968	13,281,173	
2017年度	17,333,212	13,541,785	
2018年度	20,098,435	12,780,505	
2019年度	20,533,581	15,145,399	
2020年度	39,017,549		2020年12月末現在

福山市調べ

ようなキャッチコピーを入れる、強みを強調する、詳細を市のホームページへ誘導するなど、「行動を促すこと」に重きを置いたチラシの内容に変わりつつあります。

その効果もあったのか、HPのアクセス数は2020年12月末現在で3902万PV、2016年度は1731万PVだったので、アクセス件数は2倍以上増えています。

【成果2】 自社媒体の大幅な強化

2016年度の福山市の主な広報媒体は、広報紙、テレビ、ラジオ、Facebook、記者クラブへの投げ込みのみ。それからの4年間でSNSのアカウントを増やし、TwitterやInstagram、デジタルニュースリリースといったウェブによる自社媒体を整備しました。

その中でもSNSの配信は特に好調です。2020年3月26日に開設した公式LINEアカウントの友だち数は、2021年8月23日現在で9万8982人。中核市では3位、全国でみても10位の数を誇ります。この先、15万人友だちをめざし現在邁進中です。

順位	自治体名	友だち数 8/23 現在
1	福岡市	1,787,373
2	横浜市	392,351
3	浜松市	304,967
4	京都市	167,367
5	堺市	147,904
6	金沢市	130,909
7	熊本市	128,814
8	札幌市	109,858
9	横須賀市	100,660
10	福山市	98,982

福山市調べ

※都道府県を除き、政令市・中核市でみると全国10位。中核市では3位。 ※人口の21%をカバーする友だち数

　また、市政記者クラブへのニュースリリースはもちろんですが、デジタルニュースリリースを活用し全国のデスクへも情報を届けています。これまでは紙のプレスリリースを市政記者クラブに投げ込むという手段しか知らなかったために、福山のニュースが県外に出ることは少なかったし、ましてや全国に売り込むなんてこともしていませんでした。まさかこんなことがニュースになるわけがないと、一自治体の取り組みを全国に売り込む発想すらなかったのでしょう。しかし、どんなことがトピックスになるか分かりません。行政内部では気づかないことを、外部の専門家の視点でアドバイスしたことで、デジタルニュースリリースを活用して、積極的に福山市の情報を出してメディアに注目してもらうという作戦に出ました。2017年度は74本でしたが、2020年度は145本と数を増やしました。

　新規の取り組みだけではありません。既存の広報媒体の改革にも着手しました。まず、市政記者クラブへのニュースリリースの書き方。記者がぱっと見て、何のリリースかわかるタイトル、目的や経過なども端的に記載するなど、記事になりやすいよう工夫しました。現役記者からのリリース講習、情報発信課職員による事前チェックなど、統一的な情報発信が行えるように体制を整えました。この取り組みは、ニュースリリースの統一性を保つだけでなく、情報発信課職員のスキルアップにもつながったと思います。

　また、広報紙も大きくリニューアルしました。行政職員の苦手とするデザインを事業者に委託することでより読みやすい記事になりましたし、電子版広報を制作して、ウェブでいつでもどこで

も広報紙を読めるようにしました。これは、前述したホームページのアクセス件数の増加に一役買っています。トップページのデザインは、ユーザビリティとアクセシビリティに配慮し、行政情報の拡散を促すためのSNSシェアボタンを設置。アクセス件数の増加につながっています。

【成果3】 福山アンバサダーの成功

　自治体における全国初の取り組み「福山アンバサダー」。

　福山の魅力を「#福山アンバサダー」のタグをつけて自身のSNSで発信する取り組みで、2017年度に開始しました。アンバサダーは2021年6月現在905人、総フォロワー数は約220万人、投稿件数は約3万8000件にのぼります。

　これまでに約8100万人に福山の情報が拡散されたと推測されます。その結果、福山アンバサダーの取り組みは、『自治体広報SNS活用法─地域の魅力の見つけ方・伝え方─』（清水将之、他著第一法規出版）や『令和2年度　地域活性化事例集「地域の魅力を活かしたブランド化」』（一般財団法人地域活性化センター）に好事例として紹介され、さらには、2020年の第15回マニフェスト大賞エリア選抜（優秀賞候補）に選定されました。

　過去、自治体のプロモーションで人物を登用した事例では、パワーブロガーや観光大使などを活用することが多かったのですが、「福山を発信したい」という思いをもつ一般人を巻き込んだ取り組みは、現在のSNS中心の世の中においてマッチしていたのではないでしょうか。また、「福山アンバサダー」から投稿された写真は、地元広報紙や市の公式SNSで活用されるなど、投稿する意欲を掻き立てる仕組みを企画し、継続して発信し続けて

います。

　数々のメディア露出に加え、各種表彰も受け、これまでにない情報発信インフラが整いつつあります。まさにSNS時代に地方自治体が手がけるべき手法を切り開いていると実感するところです。

○毎日新聞「福山バズってる」掲載
○地域活性化事例集「地域の魅力を生かしたブランド化」に、「福山市都市ブランド戦略の推進」と「福山アンバサダー」掲載
○マニフェスト大賞エリア選抜選出
○「自治体広報SNS活用法—地域の魅力の見つけ方・伝え方—（第一法規)」掲載

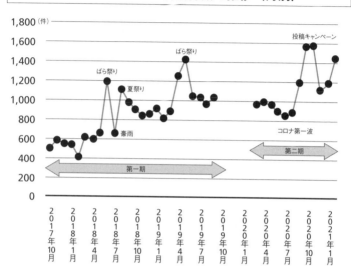

福山アンバサダー投稿件数の推移（月別）

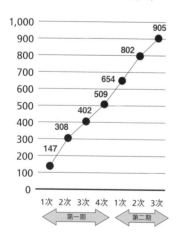

福山アンバサダー数（人）

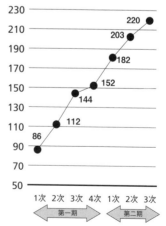

総フォロワー数（万人）

【成果4】メディアへの営業力アップによる露出増大

　情報発信戦略会議で見い出された強いファクトをもった地域資源（デニム・鞆の浦）を引っ提げて、市職員がテレビ局へも営業に出かけました。その場で交渉成立にならなくても、手渡した資料がきっかけで、後々声が掛かることもあります。結果、テレビへの露出も年々増えています。

　2018年度は10番組、2019年度は49番組、2020年度は57番組。全国テレビで「福山」というワードを見かけることが多くなったと思います。今まで以上に広島県と連携を取っていることも1つの要因でしょう。

　ここでの1つのポイントは、各メディアのネタ集めは、必ずウェブで検索をしているということです。ウェブに情報資産として残すこと、つまり、前述した福山アンバサダーなどを活用したSNS上での情報資産の蓄積、デジタルニュースリリースやホームページの充実も検索にヒットする要因となっています。

　また、雑誌へも広告という形で掲載を進めています。福山の地域資源が刺さるターゲットに届くよう、地域資源と各雑誌のマッチングを行ってきました。

　実績として、購読者が多い名立たる雑誌（日経ビジネス、日経トレンディ、an·an、ジャパンタイムズ、hanako、Oggiなど）に掲載することができています。

【成果5】 意思決定の転換期

　専門家の意見を踏まえてのプロモーションもそうですが、市役所職員の「変わろう！」とする気持ちが大きくなりました。自治体が行うプロモーションは、万人に受け入れられる100点を狙ったものを行う傾向があります。ターゲットはいわゆる「全市民」。どの自治体もそうですが、ターゲットを絞ってプロモーションを行うということは、前例踏襲を行ってきた自治体としては大きな転換だと言えると思います。

　2017年度に行った首都圏認知度調査で分かったこと、それは、態度変容が大きかったのは、いわゆるF1層（20歳から34歳の女性）だということ。過去に例のない層へ絞ってのプロモーションは、市職員もそうですが、意思決定を行う立場の管理職もこの変換に戸惑ったことでしょう。そこを乗り越え、2017年度に旅情報としてOZマガジン、動画をC-Channelに掲載、2018年度はOZの女子旅に参加、カメラガールズを活用したプロモーションなど、F1層に特化した取り組みを実施し、結果的に2018年度の認知度調査ではF1層の認知度が向上。ターゲットを絞ったプロモーションに効果があることを立証できました。実務を行う一般職員の意識改革はもちろんのこと、管理職の意思決定も大きな転換期を迎えることができたと思います。

【成果6】外部評価その1　「認知度調査」

　こうしたさまざまな取り組みの結果、福山の地域資源の首都圏認知度は年々向上しています。デニムは2017年度9.1%でしたが、2020年度には19.8%、福山城は2017年度7.3%が2020年度には15.6%、ばらは2017年度3.1%から2020年度8.2%にそれぞれ向上しました。

　このように地域資源を活用したプロモーションによって、全国での認知度を上げたいとコツコツと続けてきた取り組みは、着実に成果として表れています。それに付随して、福山市のことを「何も知らない」人は2017年度の調査70.0%から2020年度は58.2%に下がり、福山市のことを知っている人が着実に増えてきているのです。

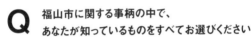

Q 福山市に関する事柄の中で、あなたが知っているものをすべてお選びください

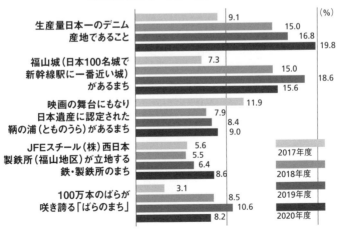

	(%)
生産量日本一のデニム産地であること	9.1 / 15.0 / 16.8 / 19.8
福山城（日本100名城で新幹線駅に一番近い城）があるまち	7.3 / 15.0 / 18.6 / 15.6
映画の舞台にもなり日本遺産に認定された鞆の浦（とものうら）があるまち	11.9 / 7.9 / 8.4 / 9.0
JFEスチール（株）西日本製鉄所（福山地区）が立地する鉄・製鉄所のまち	5.6 / 5.5 / 6.4 / 8.6
100万本のばらが咲き誇る「ばらのまち」	3.1 / 8.5 / 10.6 / 8.2

2017年度
2018年度
2019年度
2020年度

【成果7】外部評価その2 　「他機関の評価」

　成果は認知度だけではありません。外部評価も獲得しています。

　外部評価を得るためには、現存する地域資源の〝魅せ方〟を変えることや、新たに制作する際に〝共感〟できるコンセプトが必要となります。今まで行っていたプロモーションでは成しえないことを行なっていく、つまり前述した意思決定の転換が大きな要素を占めるのです。

　外部評価を得ることで制作者のモチベーションを上げることに加え、福山市の取り組みを関係者に広めることができます。また、メディアも表彰やランキングなど注目している材料であるため、積極的に外部評価を得ることは今後も重要なことだと思います。

○東京2020オリ・パラに関する取り組みが内閣官房「優秀情報発信賞SNS賞」受賞

○NIKKEIプラス1（日本経済新聞・土曜版）歴史と神秘の日本遺産　鞆の浦が全国3位にランクイン

○The Japan Times 「里山大賞〜自治体の部」鞆の浦の風景大賞

○PR動画「TOMONOURA　JAPAN　HERITAGE」国際部門Tourism Products1位

○「泊まる女子旅」が広島県広報コンクール映像部門　最優秀賞

○ひきこもり相談窓口「ふきのとう」の取り組み（リーフレット・ポスター）厚生労働省の事務連絡で好事例として紹介

○城泊による歴史的資源の活用事業の支援地域に福山城が選定

　（全国に7カ所）

○観光映画祭国際委員会（CIFFT）主催"People's Choice"
　Award　日本遺産鞆の浦の動画が対象30作品に選定

○鞆の鍛冶用具及び製品が国の「登録有形民俗文化財」に登録
　（県内初）

○世界バラ会議福山大会が大阪・関西万博の参加型プログラム
　「チームエキスポ2025」に登録（中国地方初）

○特別企画「福山ブランドデザインアワード2020」に全国から
　170作品の応募

○福山ブランドがキリンビバレッジのキャンペーン賞品として
　採用

今後の課題

　これまで地道に取り組んできたことが実を結びつつある福山市
ですが、課題がないわけではありません。

　ここまでの一番の成果は情報発信課メンバーのスキルアップ。
情報発信の基本的な考え方や方法がかなり定着してきたと思いま
すが、担当部局に我々のような外部アドバイザーと同じアドバイ
スを情報発信課の職員がしても、担当課の受け取り方が違ってし
まうのは事実です。

　今後は、「外部の意見だから聞き入れる」というのをうまく活
用する組織体制を作っていくか、予算申請時に情報発信課の承認
が必要になるようなチェックシートを導入していく必要があると
思われます。

　また、特定部署から全体部署への浸透・普及についてはまだま

だです。何度も相談に来てくれる部署とは事業の根幹部分から協議ができる関係値が構築でき、並走している状態が出来つつあるので、この形を他部局にも拡げていく必要があるでしょう。

「強い自社媒体の整備」については全国初の「福山アンバサダー」の立ち上げや、人口の約21％をカバーする友だち数となった公式LINEアカウントのようなネットPRの基盤整備ができてきたので、今後は不足している首都圏アンバサダーの増加と既存アンバサダーの活性化に着手します。コロナ禍でもオンラインによるアンバサダーミーティングを実施するなど、良い企画運営ができているので、双方向コミュニケーションを増やし、さらなる活性化を目指していきたいと思います。

最後の課題は「ホームランを打つ」こと。

中核市として市民とのコミュニケーションはかなりレベルが上がってきましたが、全国区の知名度という点ではまだまだ道の途中。特に観光や移住促進、シビックプライドの醸成などについては、全国的な認知につながる特徴やニュースが不可欠です。そのためにはそろそろホームランが必要です。

「デニムとはいえば岡山」という認知をひっくり返す業界関係者を巻き込んだファッションショーのような大イベントや、2025年に開催が決まった「世界バラ会議」を市外認知の起爆剤にするなど、大きな仕掛けをする時期に来ていると思います。

また、待ったなしとなったデジタル・トランスフォーメーション（DX）も単に市役所業務のデジタル化に留まらず、市民生活のデジタル化や地元企業のデジタル化を支援していかないと、都市としての成長が見込めません。

　そういう意味では、社会に普及していくデジタル・サービスを企業や市民にコーディネートしていく役割もますます求められていくと思いますし、その要になるのは市民とのコミュニケーションのハブとなる情報発信です。

　市政運営の基本「スピード感」「情報発信」「連携」の1つとして重要視している「情報発信」。

　現状に満足することなく、まだまだ一緒に汗をかいて、進化していきたいと思っています。

おわりに

　4年間、福山市とお仕事をさせていただいて、情報発信に対する職員の考え方や組織が随分進化したと実感します。こうした取り組みができたのも枝広市長が情報発信の重要性を説き、旗を降っていただいたおかげ。結局、地方自治体は首長のリーダーシップ抜きには変革はできないのだと思います。

　私が広島県で「おしい！広島県」などの観光キャンペーンを企画し、戦略的広報に取り組んだのは、都道府県のような広域行政は県外からの観光客の呼び込みや、移住促進、工場誘致など国内外への自県の認知と理解促進が不可欠で、そのためには「まず知ってもらうこと」「振り向いてもらうこと」無しでは何も始まらないからです。

　一方で、福山市のような基礎自治体は、観光や移住、工場誘致といった市外向きの施策は県と歩調を合わせて進めていき、より暮らしや生活に密着したコミュニケーションに重きを置いた情報発信が求められます。

　コミュニケーション手段が多様化し、大きく変わろうとしている社会において、これまでの市民への情報発信の仕方、受け取り方を微調整しながら変化させていかなければなりません。デジタル・トランスフォーメーション（ＤＸ）の導入に併せ、おそらく10年か遅くとも20年くらいで今発行している広報紙は廃止され、完全にネット媒体に移行していくでしょう。
公聴のあり方も大きく変わり、市民が今以上に市政に参加する新

しい形になるはず。そうした移行期間を考えながら事業内容や予算策定を改善させていかなければならない時期に来ているのは確かです。

　福山市では、それを先取りして、紙の広報紙をデジタル広報化する取り組みをスタートしました。この春から取り組む「重要施策のアニメーション化」も「文字よりわかりやすく、理解が進む」「どこでも手軽に見ることができる」だけでなく、制作コストも年間100万円以内に抑える工夫をしています。この視聴回数を上げていけば、近い将来は年間7000万円必要な広報紙の制作費や配布コストを大幅に削減することができるようになるでしょう。

2021年度から取り組んでいる紙の広報紙のアニメーション化。

そういう意味では、まだまだ福山市も進化の途中であり、本当の成果をお伝えできるのは数年後になるかもしれませんが、危機感を同じくする他の基礎自治体の意識の高い公務員の方に本書を一足早くお届けします。

　市民が住む地域に満足し、暮らしやすい生活を送るためには市役所の役割はどんどん大きくなってきます。これからも成功事例を共有しながら皆さんと一緒に前に進んで行きたいと思います。

　最後になりますが、本書を執筆するにあたり大きな力をいただいた枝広直幹市長、中島智治副市長、小川政彦副市長、情報発信課のメンバーに感謝の気持ちをお伝えしたいと思います。

　大胆な決断、一緒になって汗をかいてくれた日々がなければ、この進化は無かったと思います。本当にありがとうございました。そして、このプロジェクトメンバーである矢野正一さん、北村啓司さん、白井陽子さん、福山まだあるさん、いつもありがとうございます。

　このメンバーと仕事ができたことを本当に嬉しく思います。

　もう免許皆伝の腕前になっているメンバーも多くなっていますが、人事異動で他部署に行っても昔の自分に戻らずに（笑）、異動先部署の水先案内人になってくれることを期待しています。

　本書の内容についてや地方自治体の情報発信で困っていることがあれば、info@kasino.netまでお気軽にご連絡ください。地域創生なくして日本の再浮上はありえないと思っています。少しで

もそのお役に立てるなら、喜んでお伺いいたします。

　そして、新しい人と出会い、地域の美味しいものを食べ、その素晴らしさを体感することで、私自身もさらに成長していきたいと思っています。

　最後までお読みいただき、ありがとうございました。

特別な感謝の気持ちを込めて
福山市役所　情報発信課の素敵な仲間

檀上　誠之	橘高　剛
中津　雅志	佐藤　由章
藤井　信行	松岡　基司
高松　秀幸	川島　摩衣子
西岡　雅之	三田　祐樹
村上　智彦	亥下　知夏
原　幹二郎	

樫野 孝人（かしの たかひと）

　1986年（株）リクルート入社。人材開発部、キャンパスマガジン編集長を経て、福岡ドーム（現・福岡PayPayドーム）のイベントプロデュースやヒルトン福岡シーホーク、ホークスタウンのコンサルティングに従事。その後、メディアファクトリーで映像事業とコミュニティFMを担当。2000年㈱アイ・エム・ジェイの代表取締役社長に就任し、ジャスダック上場。国内最大手のweb＆モバイル構築企業に成長させるとともに、「ＮＡＮＡ」「るろうに剣心」などの映画も製作。2009年と2013年の神戸市長選挙に立候補するも惜敗。その後、広島県や京都府の特別職参与として制作した「おしい！広島県」や「もうひとつの京都」がショートショート・フィルムフェスティバル＆アジアで観光映像大賞（観光庁長官賞）を２度受賞。2015年兵庫県議会議員に初当選し、一期で卒業。

　現在、（株）CAP代表取締役、全国地域政党連絡協議会（地域政党サミット）相談役、かもめ地域創生研究所理事として地方自治体のアドバイザーやコンサルティングを手がけながら、ビジネス、政治に続く人生三毛作目の「教育」分野で、HBMS（広島ビジネス＆マネジメントスクール）で講師をし、県立広島大学や叡啓大学のアドバイザーとして高等教育改革に挑んでいる。
著書に「福岡ドーム『集客力』の作り方」「情熱革命」「無所属新人」「地域再生７つの視点」「おしい！広島県の作り方〜広島県庁の戦略的広報とは何か？〜」「人口減少時代の都市ビジョン」「リクルートOBのすごいまちづくり」「仕事を楽しむ整える力〜人生を自由に面白くする37の方程式〜」など。

公務員のための 情報発信戦略
（こうむいん）（じょうほうはっしんせんりゃく）

2021年11月1日　初版発行

著　者　樫野 孝人
@Takahito Kashino 2021

編　集　嘉納 泉

発 行 所　CAPエンタテインメント

〒654-0113 兵庫県神戸市須磨区緑ヶ丘1-18-21
TEL：050-3188-1770　https://kashino.net/

印刷・製本／シナノ書籍印刷

落丁・乱丁本は、送料小社負担にて、お取り替え致します。
ISBN 978-4-910274-04-1　Printed in Japan